智永真草千字文

中國碑帖名品 [四十]

上海書畫出版社

《中國碑帖名品》編委會

前言

中華文明綿延五千餘年，文字實具第一功。從倉頡造字而雨粟鬼泣的傳説起，歷經華夏子民智慧聚集、薪火相傳，終使漢字生生不息、蔚爲壯觀。伴隨著漢字發展而成長的中國書法，基於漢字象形表意的特性，在一代又一代書寫者的努力之下，最終超越其實用意義，成爲一門世界上其他民族文字無法企及的純藝術，并成爲漢文化的重要元素之一。在中國知識階層看來，書法是中國人『澄懷味象』、寓哲理於詩性的藝術最高表現方式，她净化、提升了人的精神品格，歷來被視爲『道』『器』合一。而事實上，中國書法確實包羅萬象，從孔孟釋道到各家學説，從宇宙自然到社會生活，中華文化的精粹，在其間都得到了種種反映，書法無愧爲中華文化的載體。書法又推動了漢字的發展，篆、隸、草、行、真五體的嬗變和成熟，源於無數書家承前啓後、對漢字美的不懈追求，多樣的書家風格，則愈加顯示出漢字的無窮活力。那些最優秀的『知行合一』的書法家們是中華智慧的實踐者，他們彙成的這條書法之河印證了中華文化的發展。

因此，學習和探求書法藝術，實際上是瞭解中華文化最有效的一個途徑。歷史證明，漢字及其書法衝破了民族文化的隔閡和時空的限制，在世界文明的進程中發生了重要作用。我們堅信，在今後的文明進程中，這一獨特的藝術形式，仍將發揮出巨大的力量。然而，在當代這個社會經濟高速發展、不同文化劇烈碰撞的時期，書法也遭遇前所未有的挑戰，這其間自有種種因素，而漢字書寫的退化，或許是書法之道出現踟躕不前窘狀的重要原因，因此，有識之士深感傳統文化有『迷失』、『式微』之虞。書法藝術的健康發展，有賴對中國文化、藝術真諦更深刻的體認，彙聚更多的力量做更多務實的工作，這是當今從事書法工作的專業人士責無旁貸的重任。

有鑒於此，上海書畫出版社以保存、還原最優秀的書法藝術作品爲目的，承繼五十年出版傳統，出版了這套《中國碑帖名品》叢帖。該叢帖在總結本社不同時段字帖出版的資源和經驗基礎上，更加系統地觀照整個書法史的藝術進程，彙聚歷代尤其是今人對不同書體不同書家作品（包括新出土書迹）的深入研究，以書體遞變爲縱軸，以書家風格爲横綫，遴選了書法史上最優秀的書法作品彙編成一百册，再現了中國書法史的輝煌。

爲了更方便讀者學習與品鑒，本套叢帖在文字疏解、藝術賞評諸方面做了全新的嘗試，使文字記載、釋義的屬性與書法藝術造型、審美的作用相輔相成，進一步拓展字帖的功能。同時，我們精選底本，并充分利用現代高度發展的印刷技術，精心校核，原色印刷，幾同真迹，這必將有益於臨習者更準確地體會與欣賞，以獲得學習的門徑。披覽全帙，思接千載，我們希望通過精心編撰、系統規模的出版工作，能爲當今書法藝術的弘揚和發展，起到綿薄的推進作用，以無愧祖宗留給我們的偉大遺産。

上海書畫出版社

簡介

智永，生卒年不詳，本姓王，名法極，歷梁、陳、隋三朝，傳百歲而終，是晉代大書法家王羲之的七世孫，出於王徽之一族。他早年出家爲僧，後雲遊至浙江省吴興縣永欣寺，整整住了三十年，人稱『永禪師』。在寺中，智永深居簡出，每日臨摹王羲之的字，從未間斷。傳其退筆無數，以大竹簏瘞之，人稱『退筆塚』，可見智永習書之刻苦。當時向智永求書者甚多，常常踏破門檻，於是智永用鐵皮裹上門檻，稱之爲『鐵門檻』。智永是我國歷史上既承襲『二王』書風，又有自己風格的著名書法家。

《真草千字文》，真草二體，是智永傳世代表作，也是我國書法史上留傳千餘年的名跡。傳智永曾寫《千字文》八百本，散於世間，江東諸寺各施一本。現傳世的有墨跡和刻本。墨跡本現流落日本，紙本，册裝。計二百零二行，每行十字。論者認爲墨跡本爲智永真跡，也有人疑爲唐人臨本。但其保留了智永書法風格特徵，應是無疑。蘇軾説智永書『骨氣深穩』，以此帖觀之，是爲至論。該帖爲真草書法學習之上選。現以傳世墨跡本影印出版。

玄：青黑色。《易·坤卦》：『夫玄黄者，天地之雜也，天玄而地黄。』

洪荒：宇宙混沌蒙昧的初始狀態。洪：大。荒：荒蕪，廣遠。

天地玄黄，宇宙洪荒。日月〈

盈昃：指太陽的東升西落，月亮的圓滿虧缺。昃：太陽西斜。

辰宿：星辰，星宿。

閏餘：農曆一年和一回歸年相比多餘的時日。《史記·曆書》：『黄帝考定星曆，建立五行，起消息，正閏餘。』裴駰集解引《漢書音義》：『以歲之餘爲閏，故曰閏餘。』按，今公曆每四年加一日，稱『閏日』，有閏日之年稱『閏年』。農曆每兩年或三年加一閏月，平均十九年有七個閏月。

律召調陽：後世通常作『律吕調陽』。律：本指樂器，用竹管或金屬管製成，以管的長短來確定音的不同高度。古代亦用作測候季節變化的器具。律召調陽：指律管應季節的變化而響應，據此來確定四季。

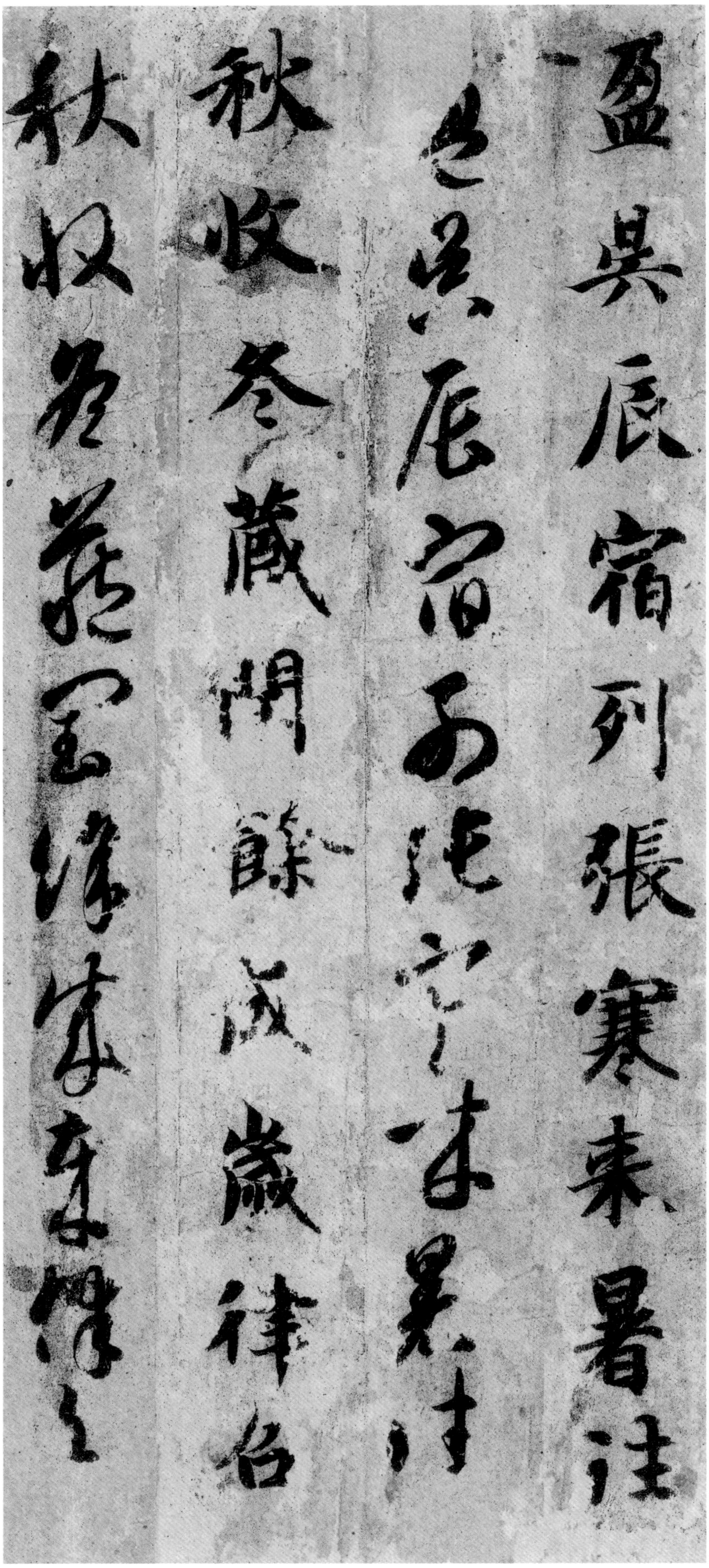

盈昃，辰宿列張。寒來暑往，/秋收冬藏。閏餘成歲，律召/

調陽。雲騰致雨，露結爲霜。／金生麗水，玉出崑崗。劍號／

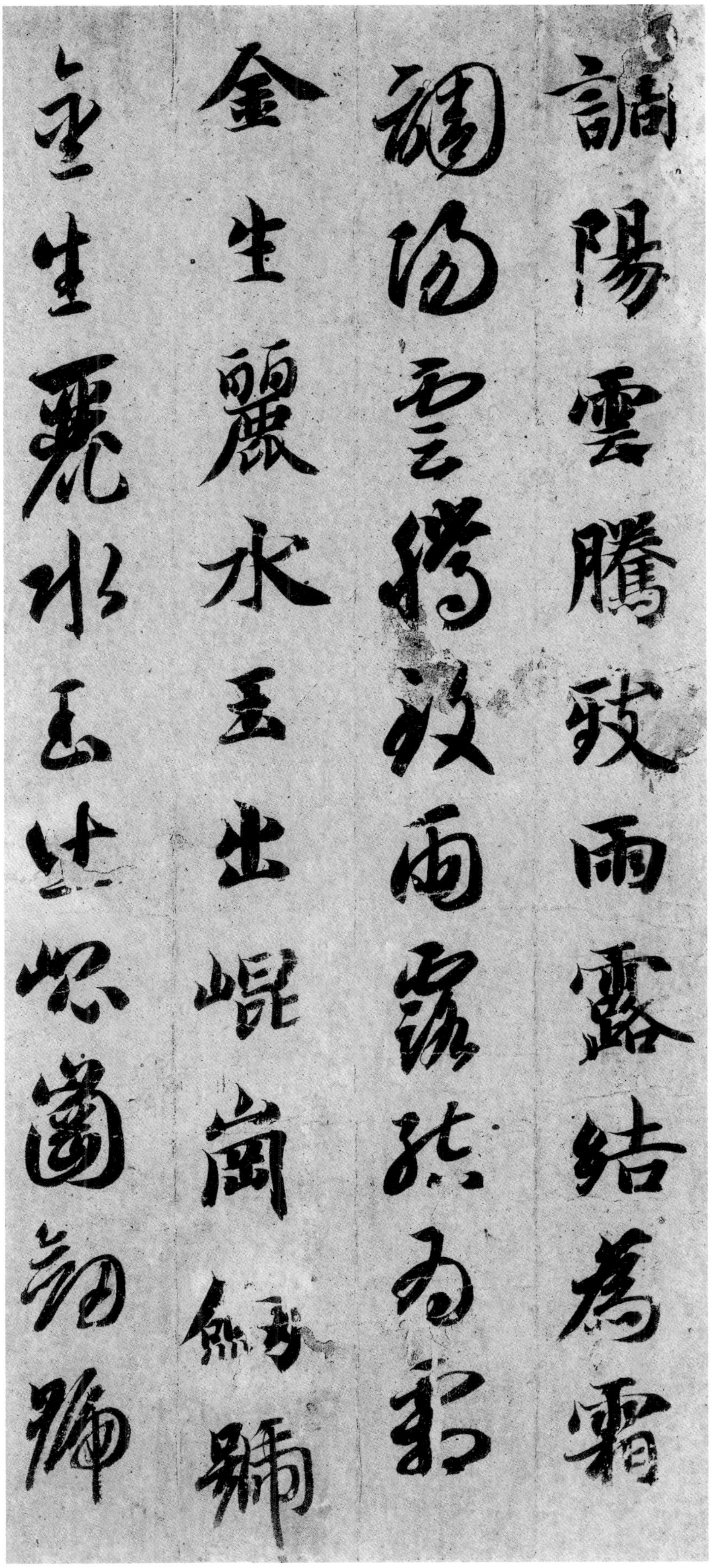

麗水：古水名，屬戰國楚地，即今廣西灕江。《韓非子·内儲説上》：『荊南之地，麗水之中生金，人多竊採金。』一説麗水即今雲南金沙江。

崑崗：即崑崙山。崑崙山自古以産美玉而聞名。

巨闕：寶劍名，相傳爲吴王闔閭所用。

夜光：寶珠名。南朝梁任昉《述異記》卷上：「南海有明珠，即鯨魚目瞳，鯨死而目皆無精，夜可以鑒，謂之夜光。」

李：李子。柰：蘋菓的一種，通稱「柰子」，亦稱「花紅」、「沙菓」。

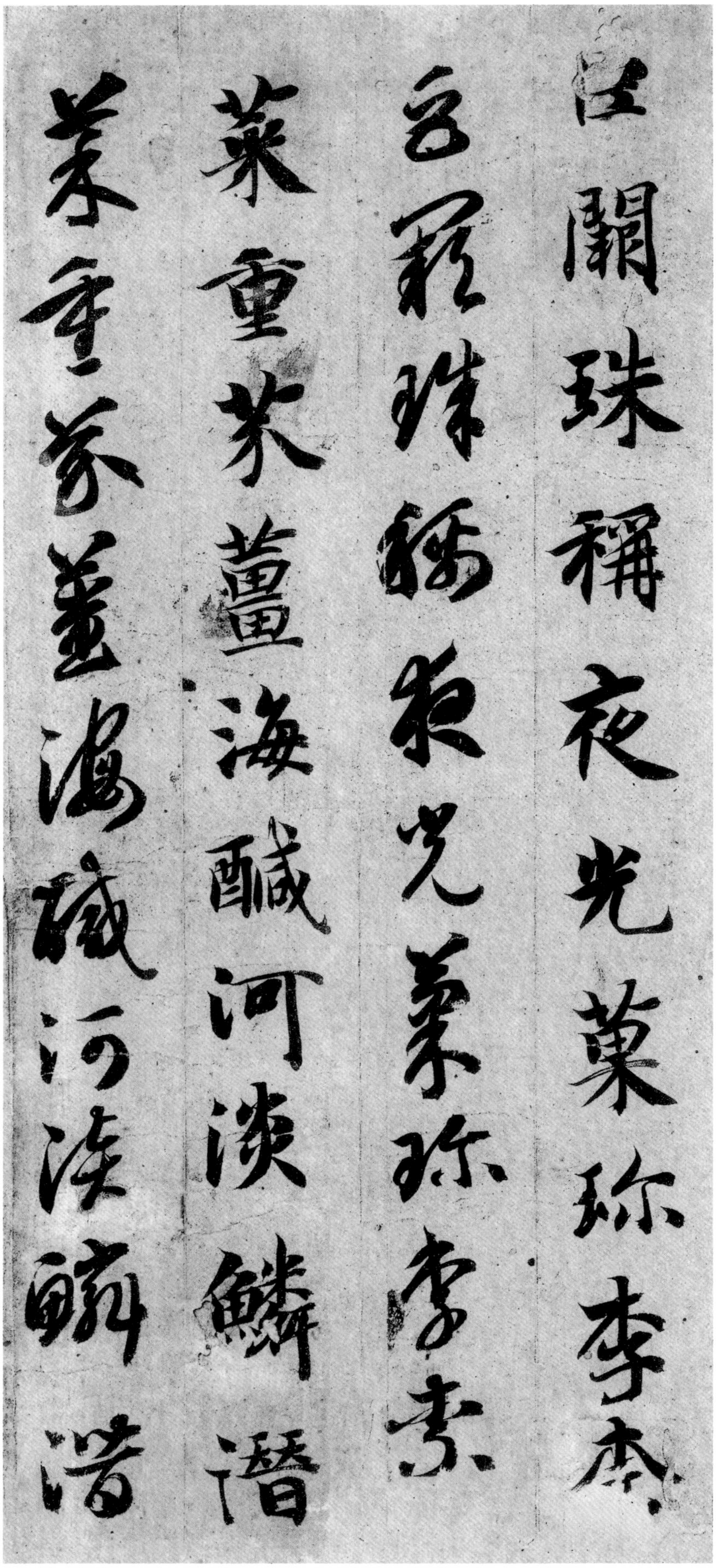

巨闕，珠稱夜光。菓珍李柰，／菜重芥薑。海鹹河淡，鱗潛／

羽翔。龍師火帝，鳥官人皇。〈始制文字，乃服衣裳。推位〉

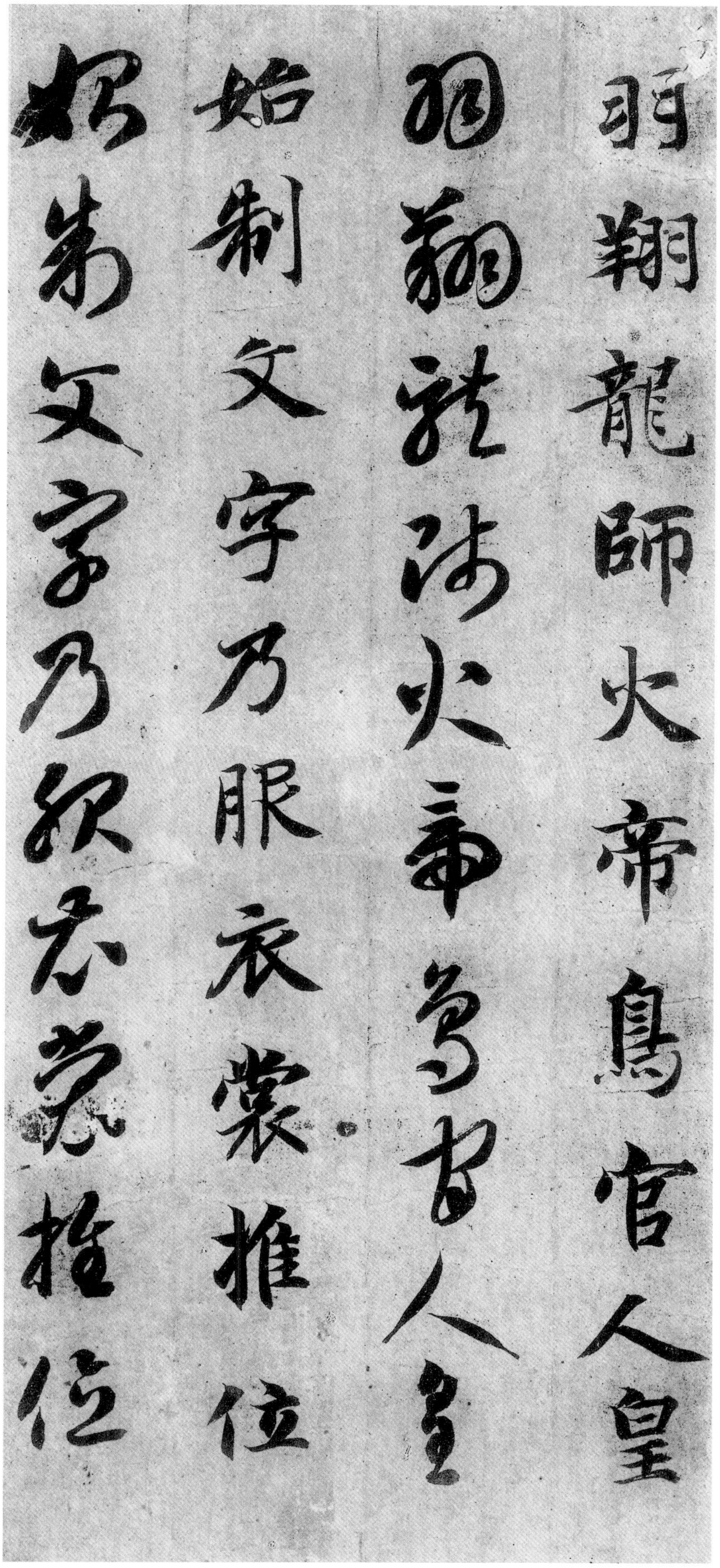

龍師：傳說伏羲氏時，有龍馬銜圖之瑞，乃以龍名其百官師長，稱『龍師』。《左傳·昭公十七年》：『秋，郯子來朝，公與之宴。昭子問焉，曰：「少皞氏鳥名官，何故也？」郯子曰：「吾祖也，我知之。昔者黄帝氏以雲紀，故爲雲師而雲名；炎帝氏以火紀，故爲火師而火名；共工氏以水紀，故爲水師而水名；大皞氏以龍紀，故爲龍師而龍名。我高祖少皞摯之立也，鳳鳥適至，故紀於鳥，爲鳥師而鳥名。」』火帝：即炎帝，百官爲火官、火師。

鳥官：傳說遠古少皞氏以鳥名官，百官稱鳥官、鳥師。人皇：傳說中的遠古部落酋長，後將其神化，與天皇、地皇合稱三皇。

始制文字：相傳倉頡造文字。倉頡：《史記》據《世本》以爲是黄帝時的史官。

乃服衣裳：關於衣服的創製者，古有『胡曹作衣』、『伯余製裳』、『螺祖始蠶』等傳說。胡曹、伯余爲黄帝大臣，螺祖爲黄帝元妃。

有虞：即有虞氏，遠古部落名，其首領爲舜。陶唐：即陶唐氏，遠古部落名，其首領爲堯。相傳堯禪讓於舜，此句爲押韻，故倒裝。

弔民伐罪：征討有罪者以撫慰百姓。

周發：周武王姬發，討伐商紂王而建立周朝。殷湯：商朝的第一位君主成湯，討伐夏朝暴君桀而建立商朝。

垂拱：垂衣拱手，形容不親理事務。平章：辨別彰明。《尚書·堯典》：『九族既睦，平章百姓。』指評定決斷民事。

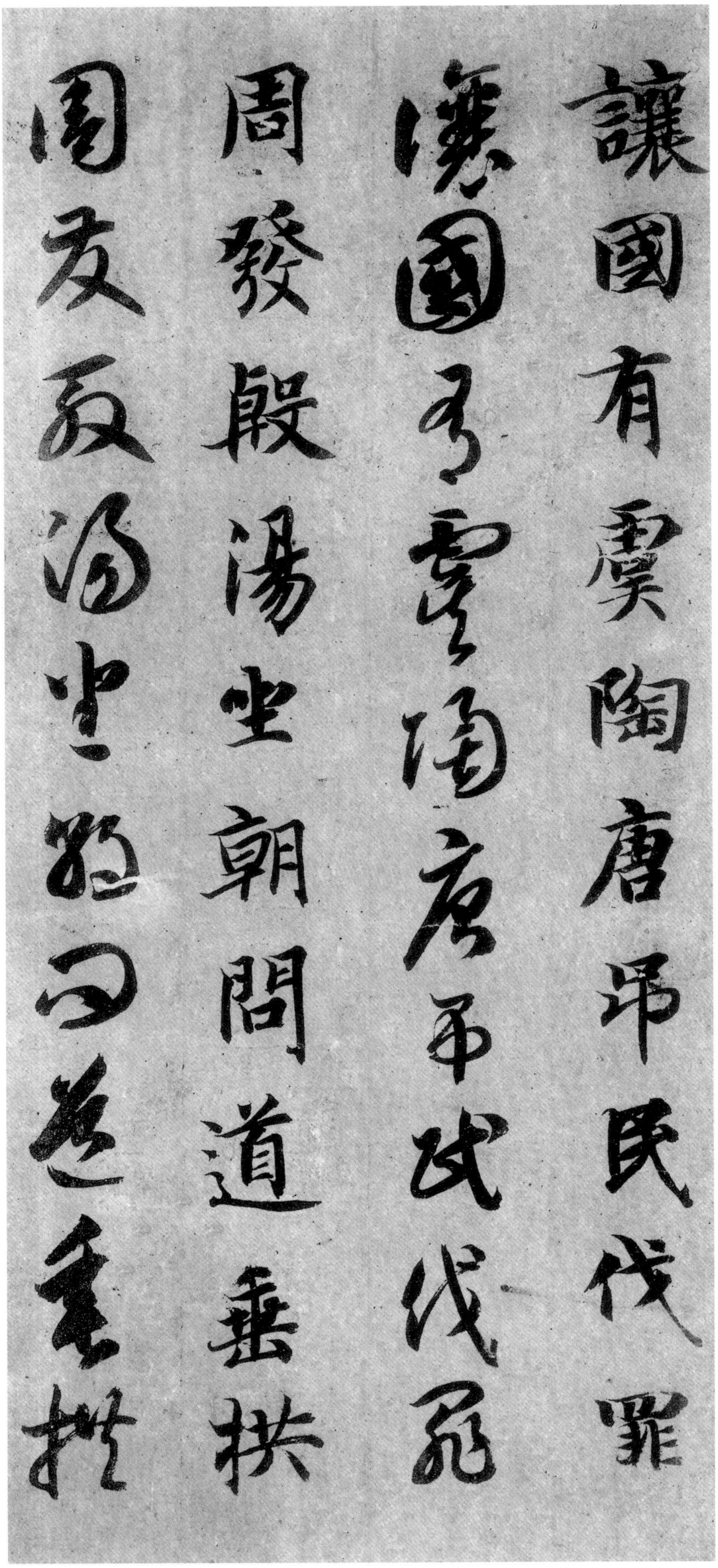

讓國，有虞陶唐。弔民伐罪，／周發殷湯。坐朝問道，垂拱／

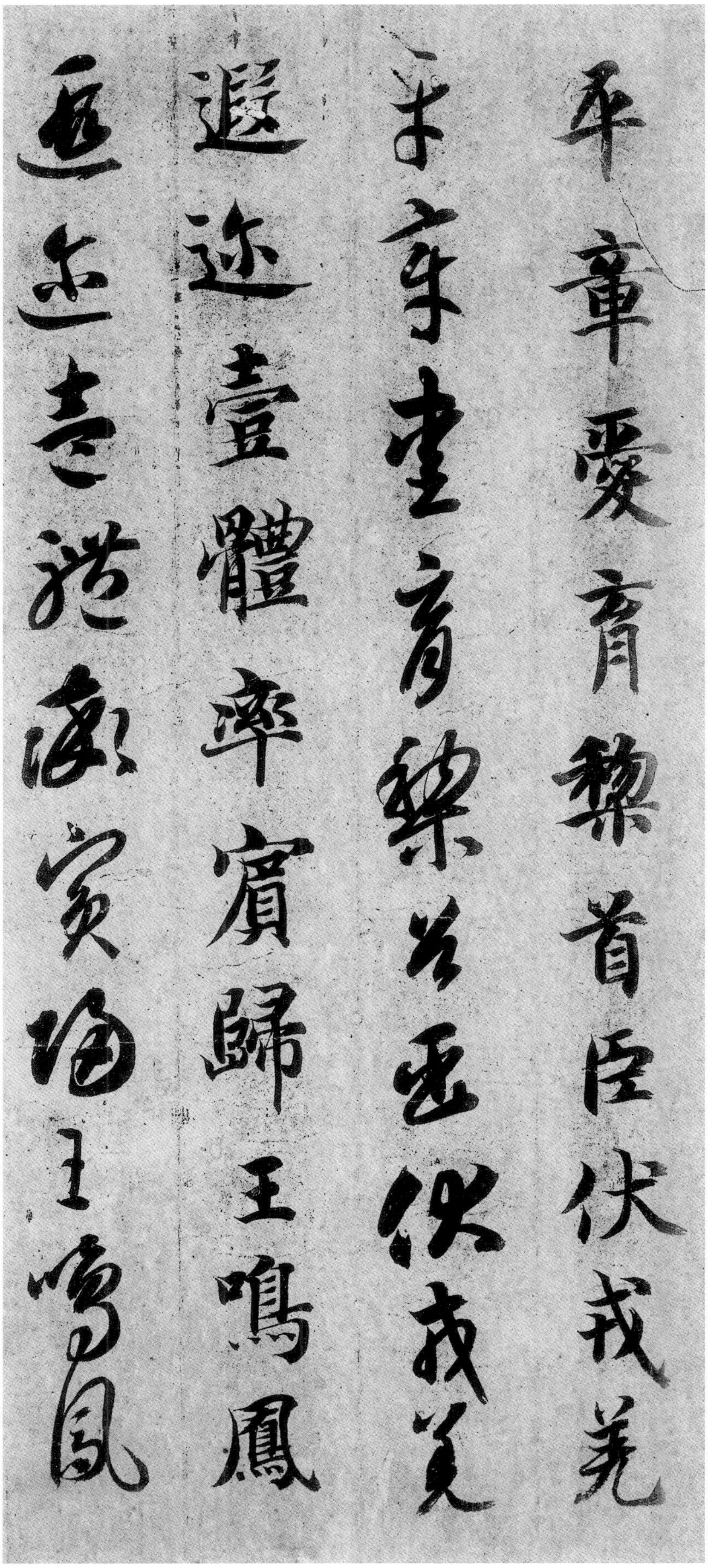

平章。愛育黎首，臣伏戎羌。／遐邇壹體，率賓歸王。鳴鳳／

黎首：黎民百姓。

戎羌：戎族和羌族，泛指邊遠地區的少數民族。

率賓歸王：指境域之内，均爲臣民。

化被草木：德化施及草木，形容君王恩德廣大。

四大：佛教以地、水、火、風爲四大，認爲四者分别包含堅、濕、暖、動四種性能，人身即由此構成。因亦用作人身的代稱。五常：指五種倫常道德，即父義、母慈、兄友、弟恭、子孝。

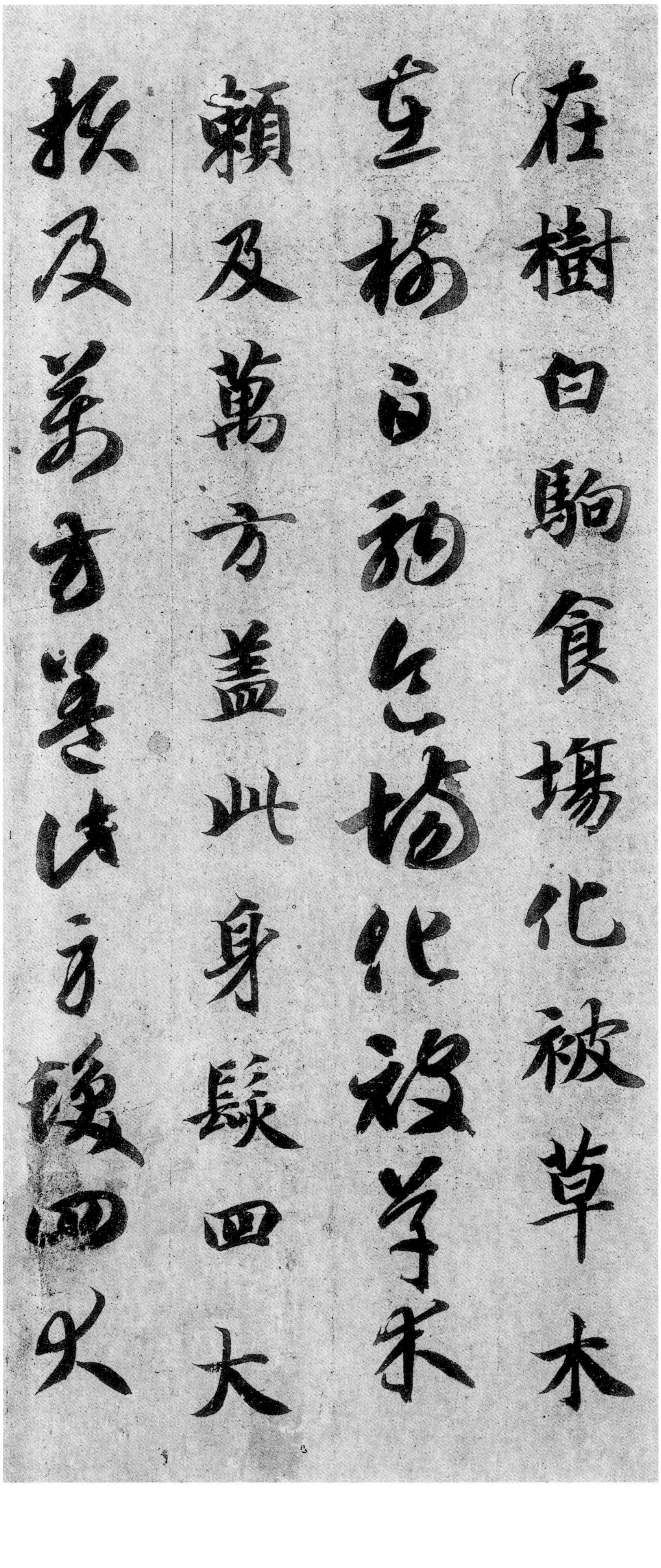

在樹，白駒食場。化被草木，\賴及萬方。蓋此身髮，四大\

鞠養：保養，養護。

絜：『潔』的異體字。按，下文有『紈扇員潔』，在《千字文》中兩字寫法不同。

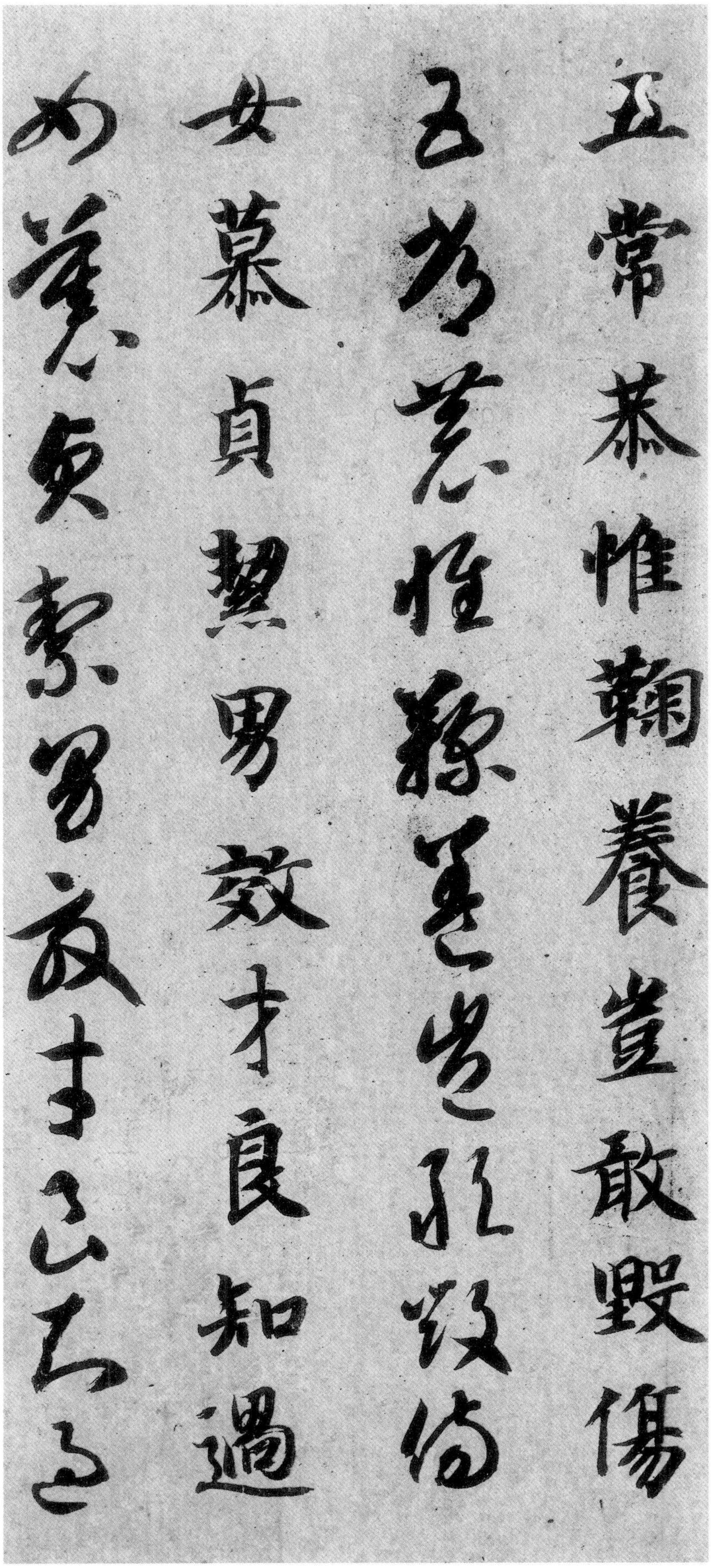
五常恭惟鞠養豈敢毀傷
五常恭惟鞠養豈敢毀傷
女慕貞絜男效才良知過
女慕貞絜男效才良知過

五常。恭惟鞠養，豈敢毀傷。／女慕貞絜，男效才良。知過／

得能莫忘：因他人而有所獲得、有所能，不能忘記，即知恩必報的意思。

信使可覆：說過的話要兑現，要能經得住反復考驗。

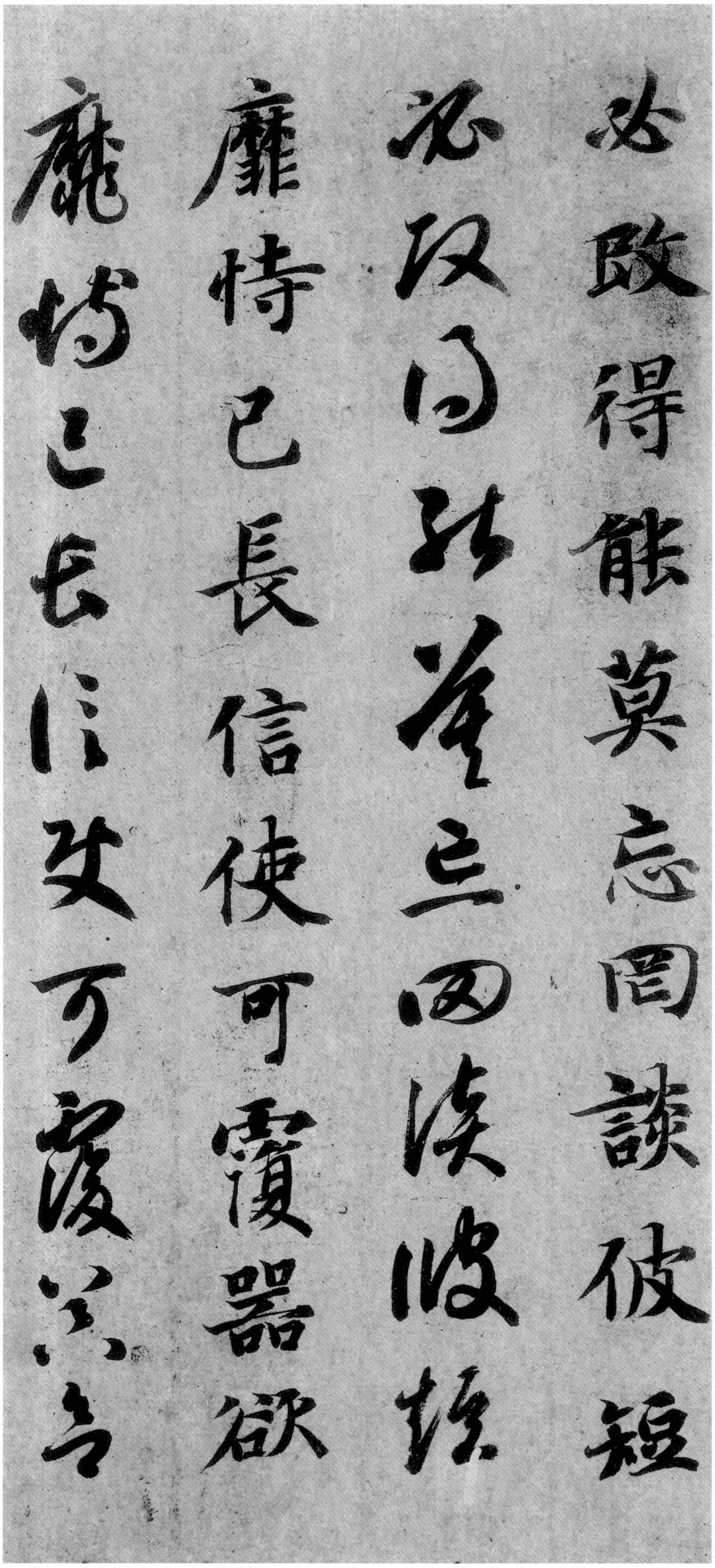

必改，得能莫忘。罔談彼短，/靡恃己長。信使可覆，器欲/

墨悲絲染：語出《墨子·所染》：『子墨子言見染絲者而嘆曰：「染於蒼則蒼，染於黄則黄，所入者變，其色亦變。」』比喻客觀環境對人的影響。

詩讚羔羊：語出：《詩經·召南·羔羊》，是稱譽士大夫正直節儉、内德與外儀並美的典故。

景行維賢：仰慕賢人的高尚德行。

剋念作聖：語出《尚書·周書·多方》：『惟聖罔念作狂，惟狂剋念作聖。』剋：能。念：思慮。剋念作聖：義爲無知的人通過認真思考，也能成爲聖人。

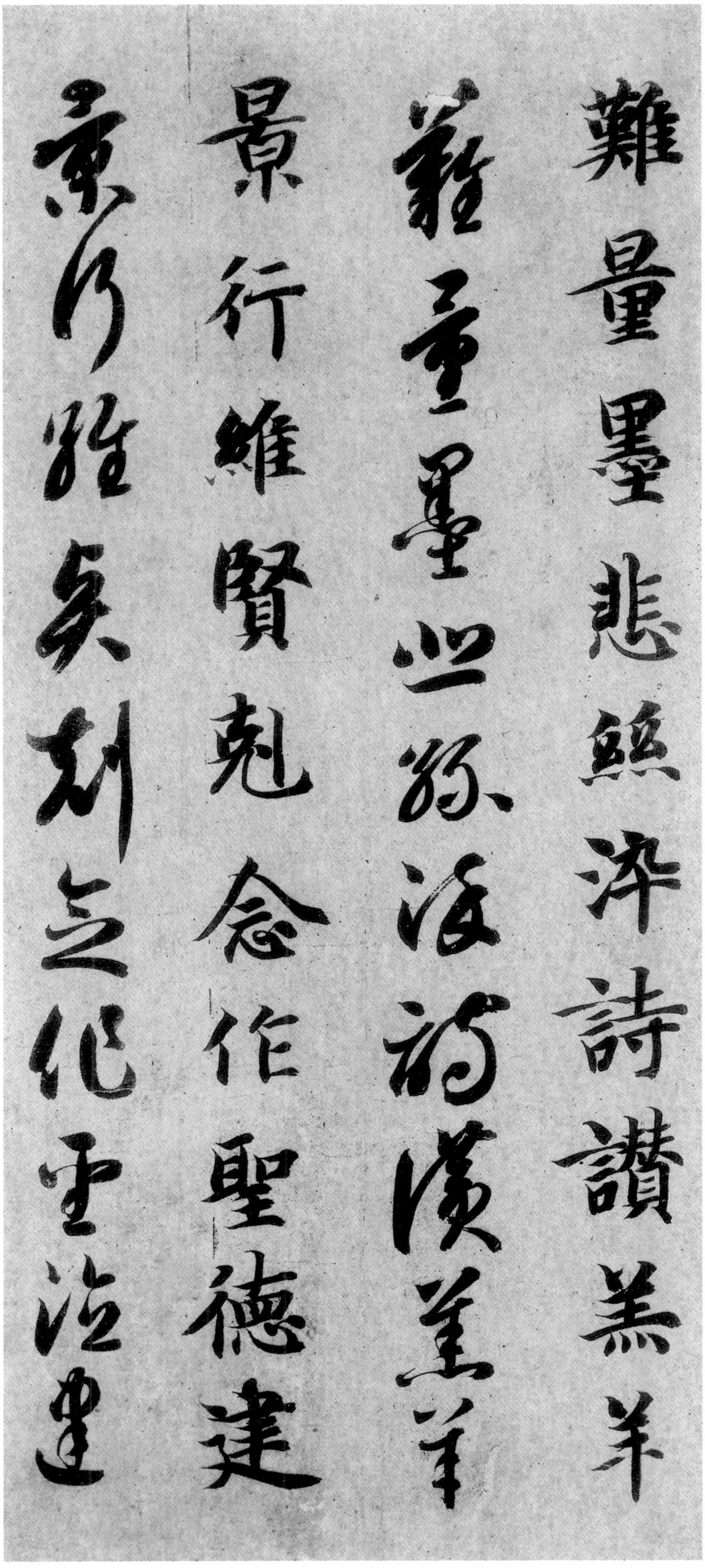

難量。墨悲絲染，詩讚羔羊。／景行維賢，剋念作聖。德建／

空谷傳聲，虛堂習聽：空曠的山谷，能夠傳聲遼遠；虛靜的室內，利於學習聽音。引申爲傳播和學習優良的品德，需要有寬闊的胸懷和謙虛的態度。

禍因惡積，福緣善慶：語出《易·坤·文言》：『積善之家，必有餘慶；積不善之家，必有餘殃。』

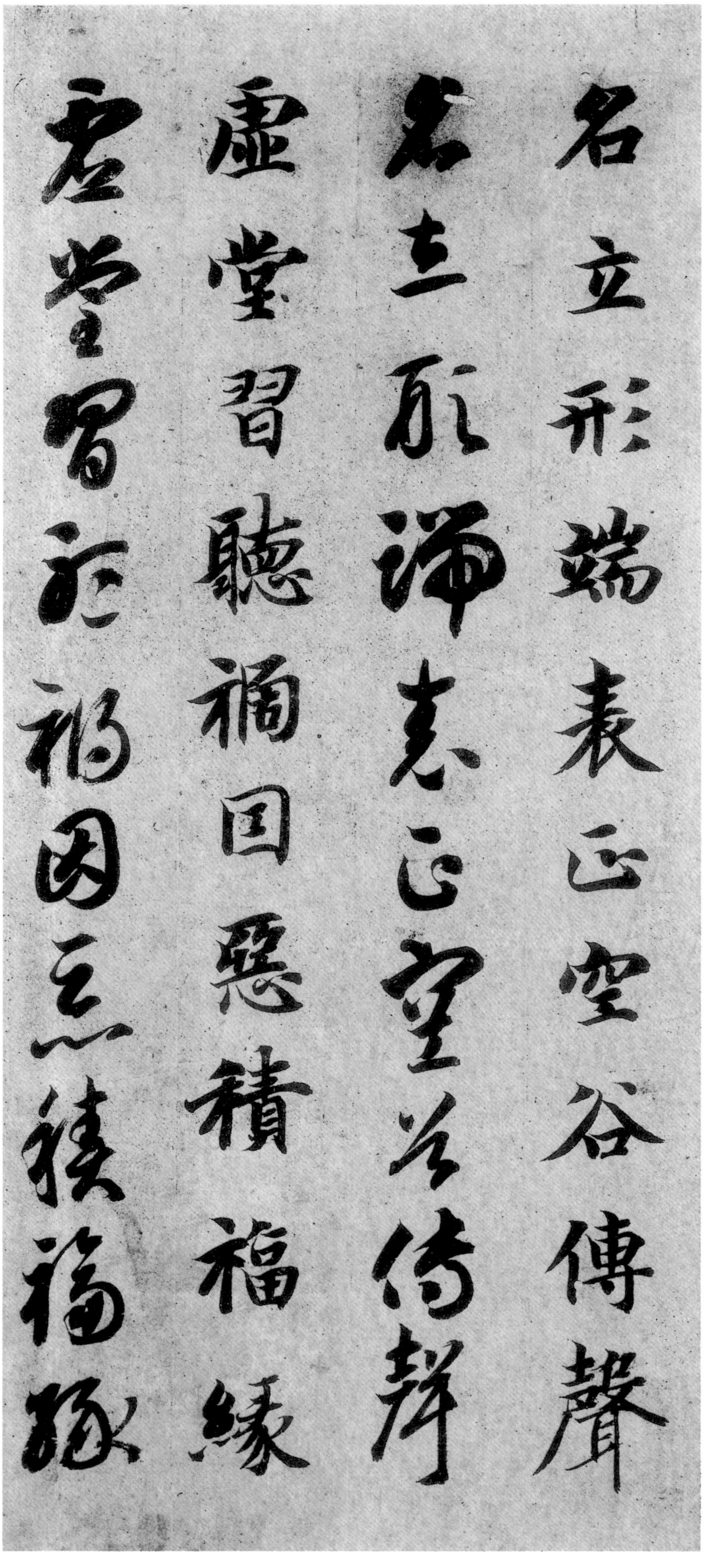
名立形端表正空谷傳聲
名立形端表正空谷傳聲
虛堂習聽福因惡積福緣
虛堂習聽禍因惡積福緣
名立，形端表正。空谷傳聲，／虛堂習聽。禍因惡積，福緣／

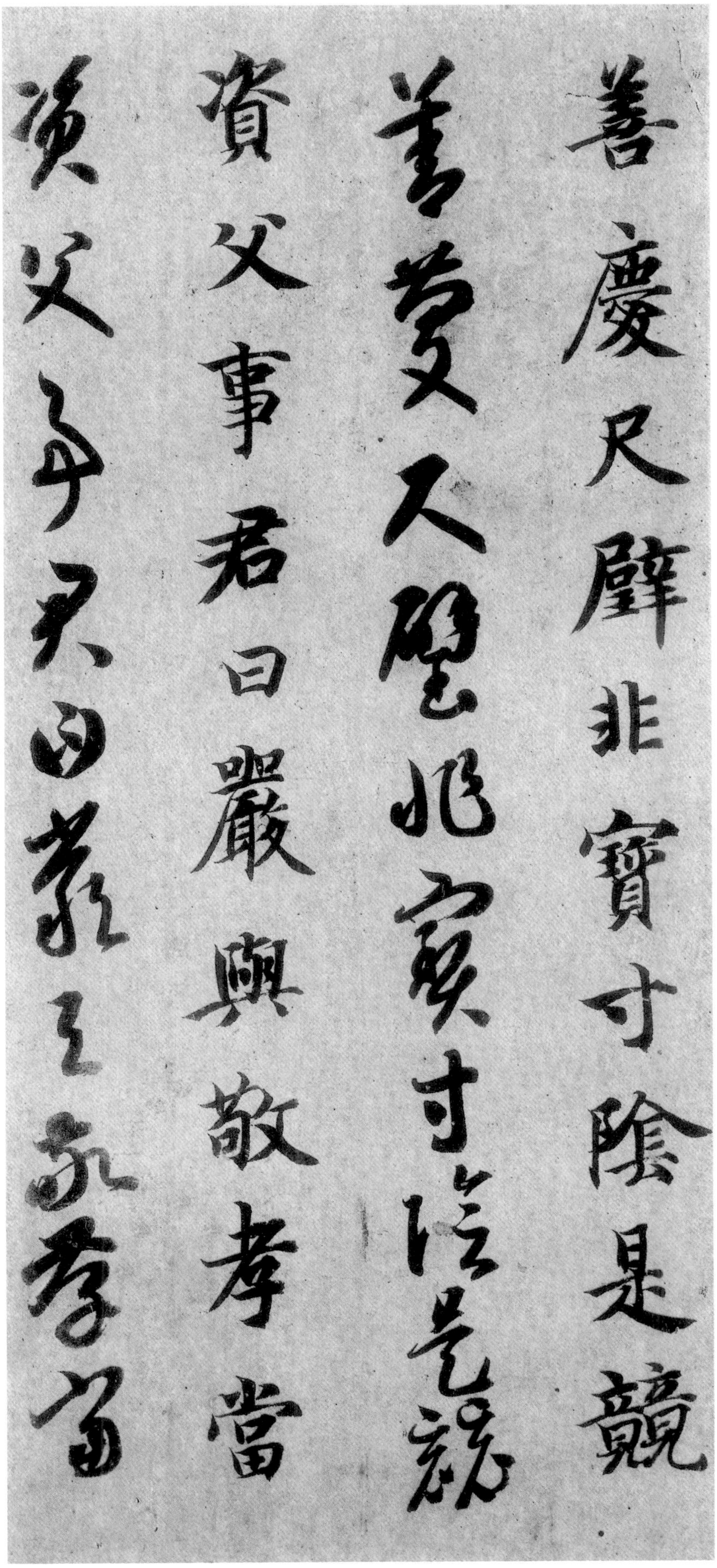

善慶。尺璧非寶，寸陰是競。／資父事君，曰嚴與敬。孝當／

資父：贍養和侍奉父親。語本《孝經·士》：『資於事父以事母而愛同；資於事父以事君而敬同。』

臨深履薄：如臨深淵，如履薄冰。形容做事小心謹慎，兢兢業業。

夙興：早起。指侍奉父母和宗廟小心謹慎。温凊：「冬温夏凊」的省略語。冬天温被使暖，夏天扇席使涼。指侍奉父母細心周到。清，通「凊」。凊：動詞，使其清涼。語本《禮記·曲禮上》：「凡爲人子之禮，冬温而夏凊，昏定而晨省。」

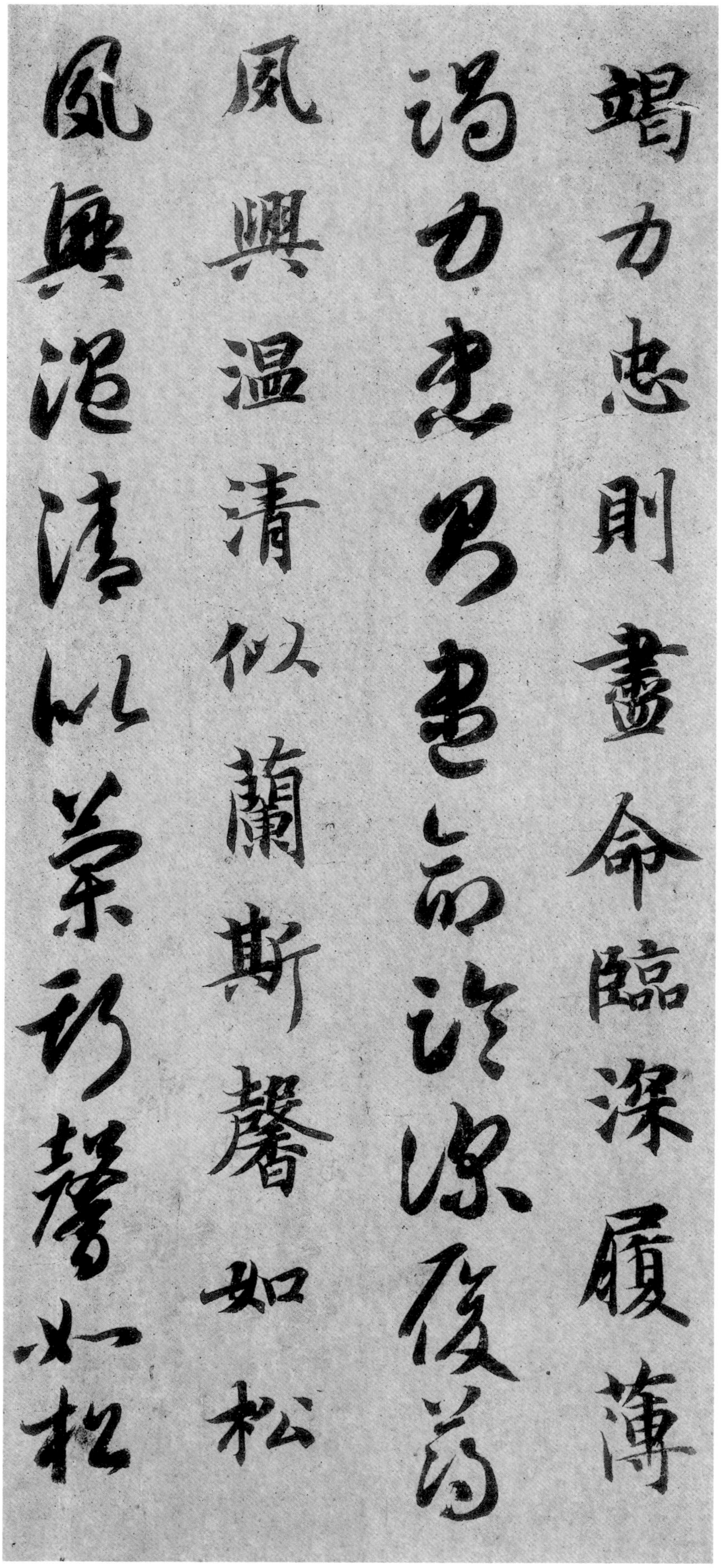

竭力，忠則盡命。臨深履薄，／夙興温凊。似蘭斯馨，如松／

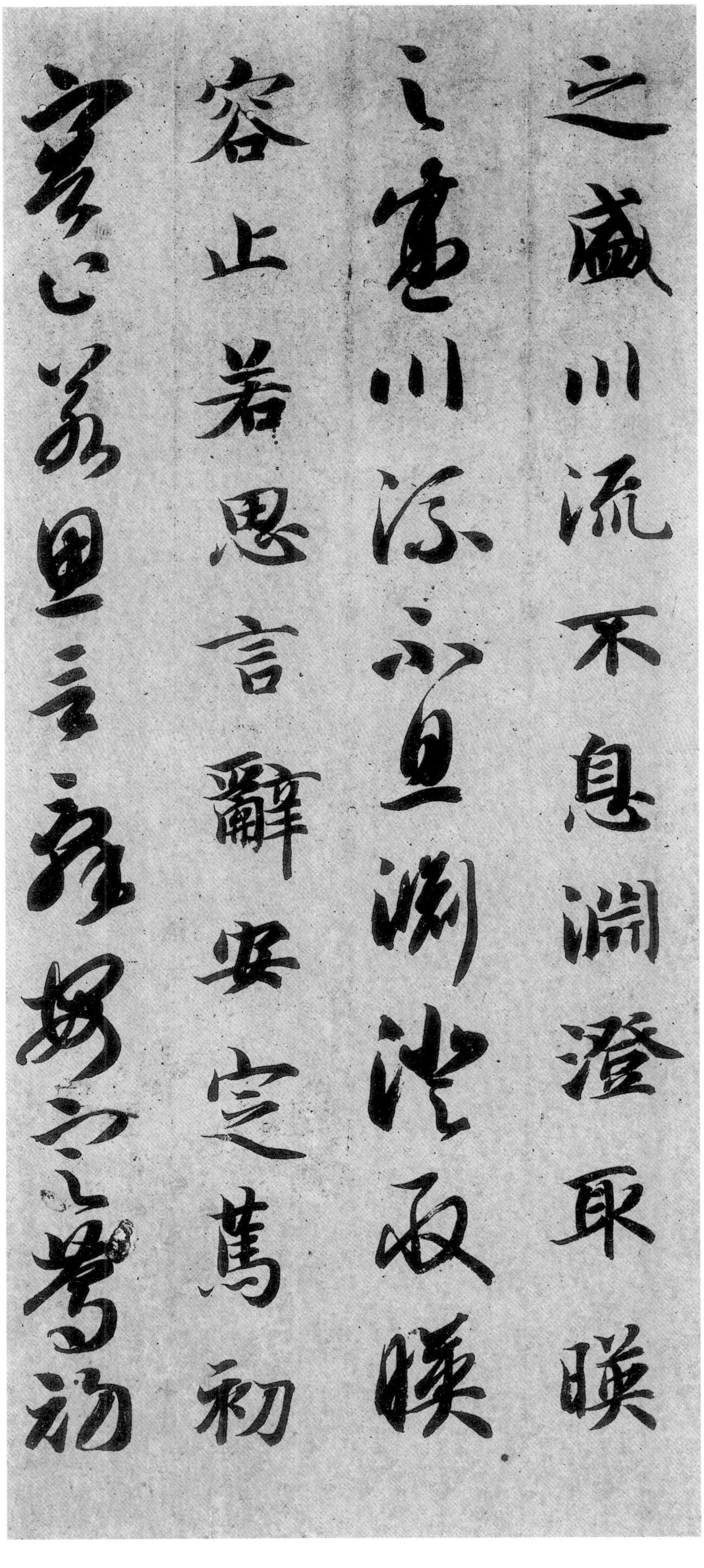

之盛。川流不息，淵澄取映。／容止若思，言辭安定。篤初／

容止若思：儀容舉止沉穩安靜。

篤初誠美：慎終宜令，好的開頭固然重要，結尾也要謹慎。即善始善終之意。

榮業：盛大的功業。

藉甚：聲名盛大卓著。無竟：没有窮盡，没有邊際。

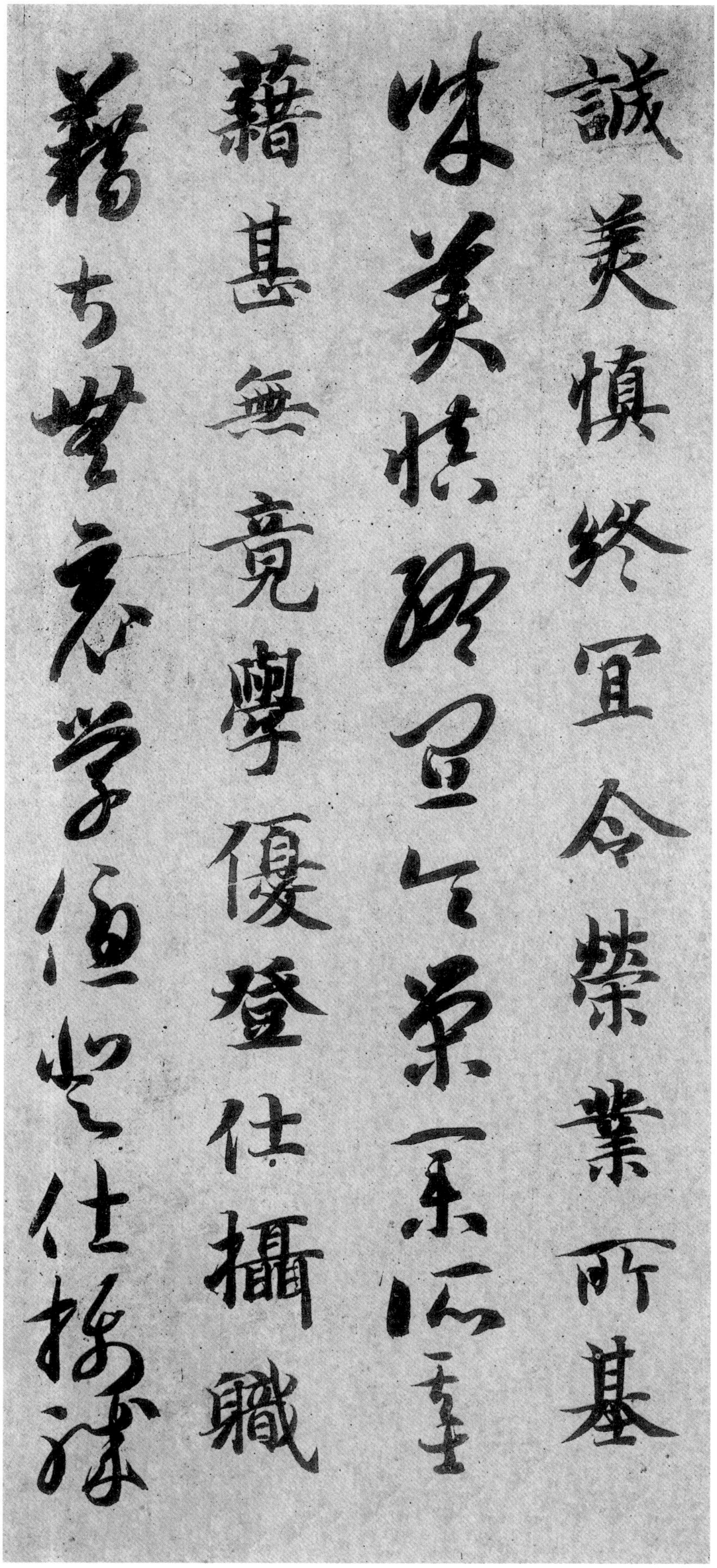
誠美慎終宜令榮業所基
藉甚無竟學優登仕攝職

誠美，慎終宜令。榮業所基，／藉甚無竟。學優登仕，攝職／

甘棠：木名。即棠梨。典出《詩經・召南・甘棠》：『蔽芾甘棠，勿翦勿伐，召伯所茇。』相傳召公在棠樹處理政事，召公卒後，人民思召公之政，懷棠樹不敢伐，遂作《甘棠》之詩。後世以『甘棠』作爲稱頌賢能的官吏和治理的典故。

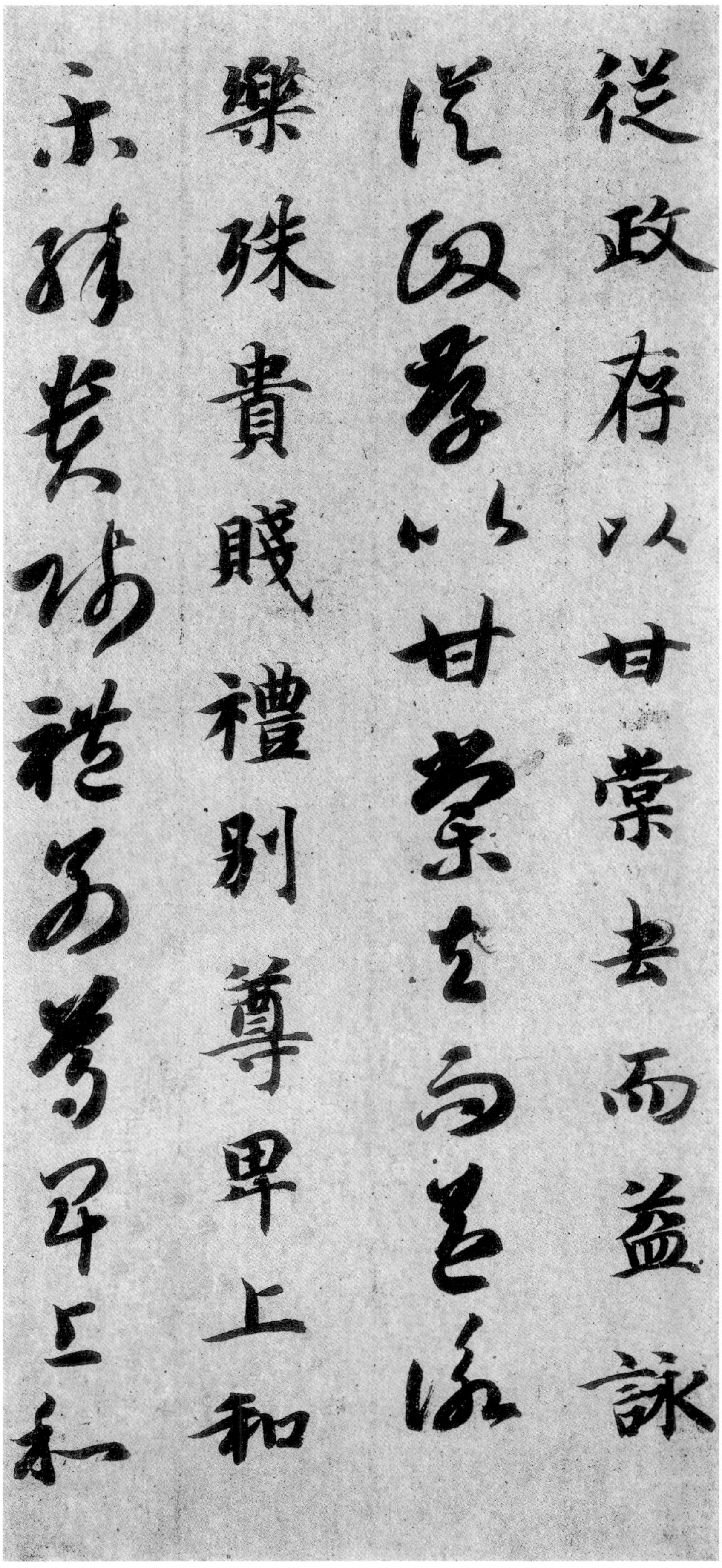

從政。存以甘棠，去而益詠。／樂殊貴賤，禮別尊卑。上和／

母儀：本指做母親的儀範。此代指母親的教導。

猶子：指侄子。

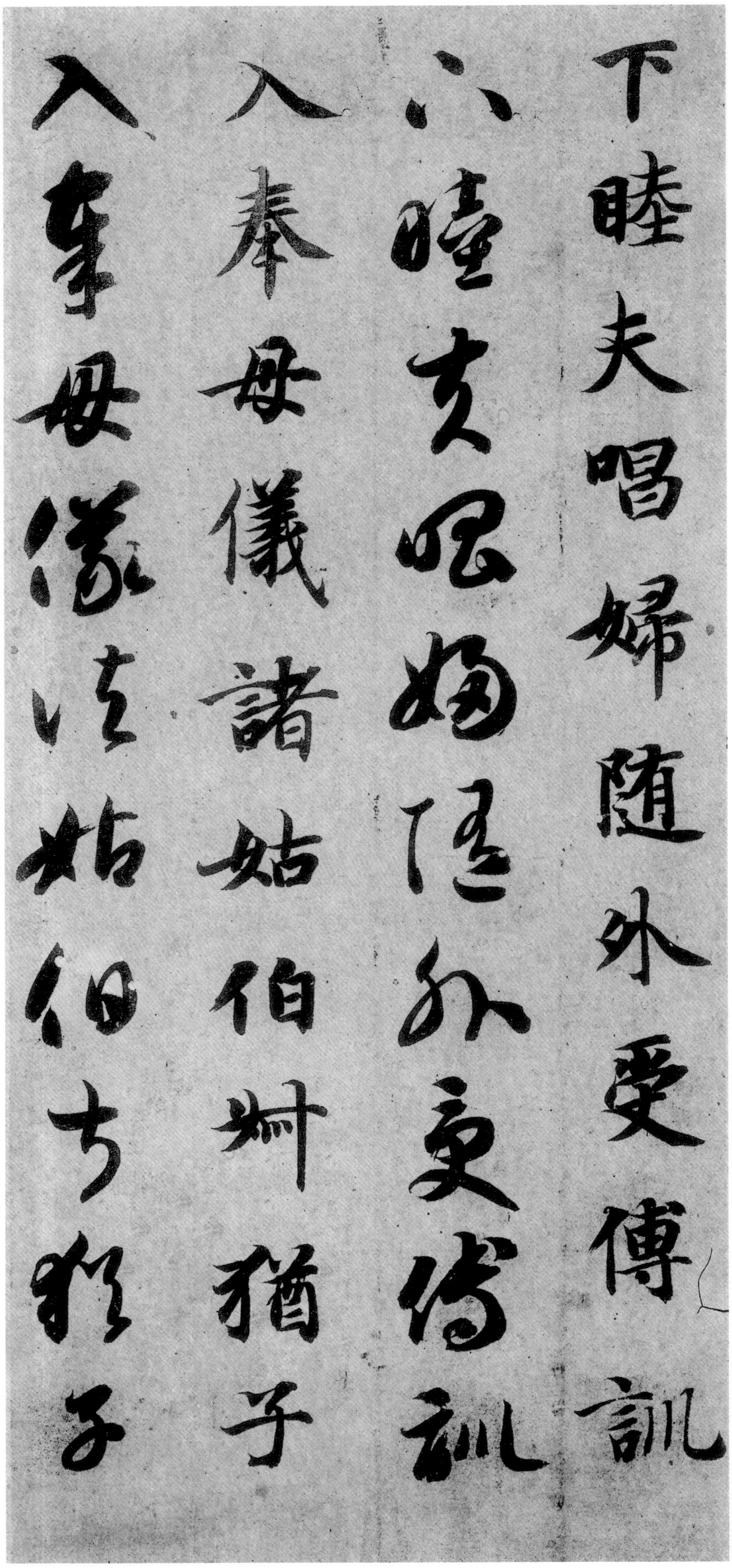

下睦，夫唱婦隨。外受傅訓，〈入奉母儀。諸姑伯叔，猶子〉

比兒：侄兒。

孔懷：本指十分思念。語出《詩經·小雅·常棣》：『死喪之威，兄弟孔懷。』鄭玄箋：『維兄弟之親，甚相思念。』後代指兄弟。

切磨：切磋琢磨。比喻道德學問方面互相研討勉勵。箴規：勸戒規諫。

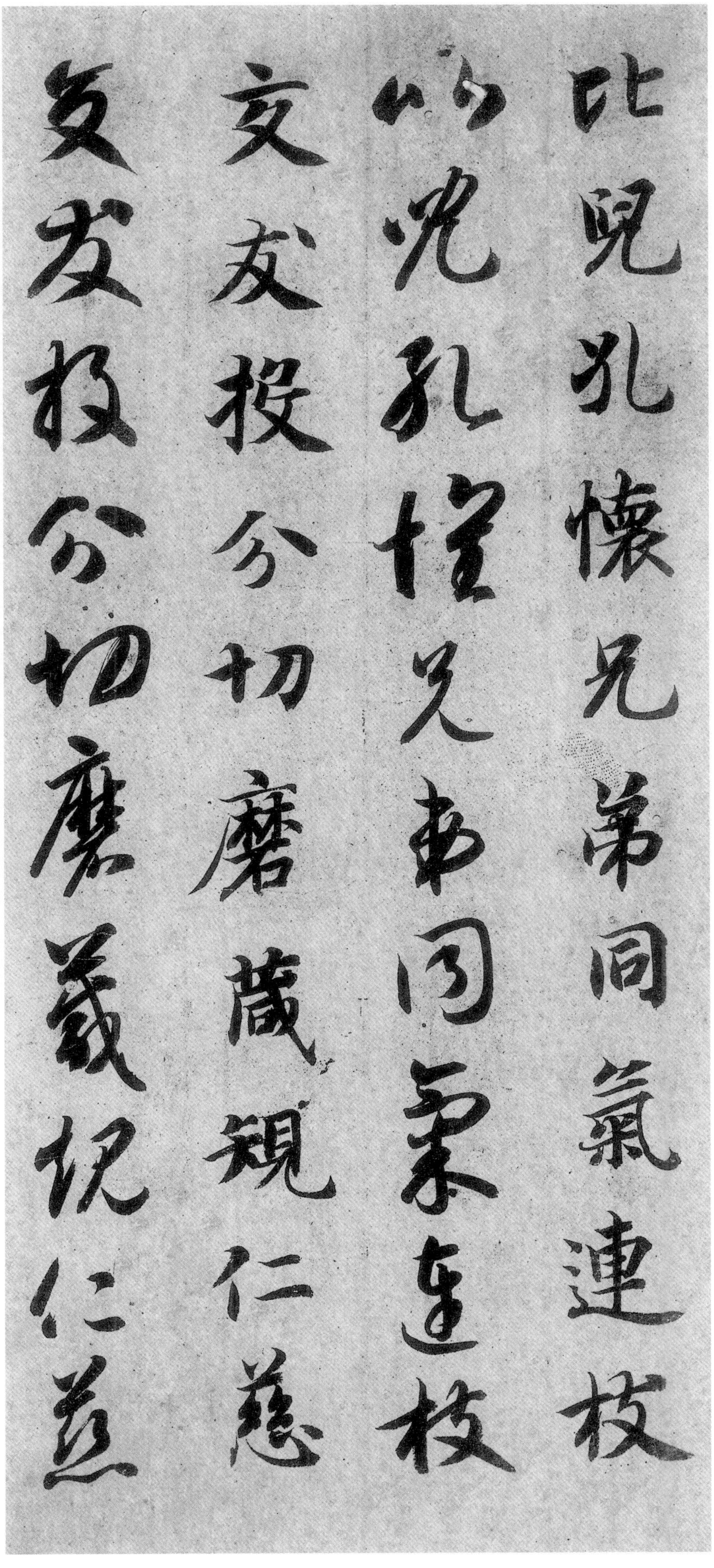

比兒。孔懷兄弟，同氣連枝。/交友投分，切磨箴規。仁慈/

造次：倉促匆忙；顛沛，動蕩不安。語出《論語·里仁》：『君子無終食之間違仁，造次必於是，顛沛必於是。』

『仁慈隱惻，造次弗離；節義廉退，顛沛匪虧』：義爲仁義慈愛和惻隱之心，在任何時候都不能拋棄；氣節正義和廉潔謙讓之風，在窮困潦倒之時也不可虧損。

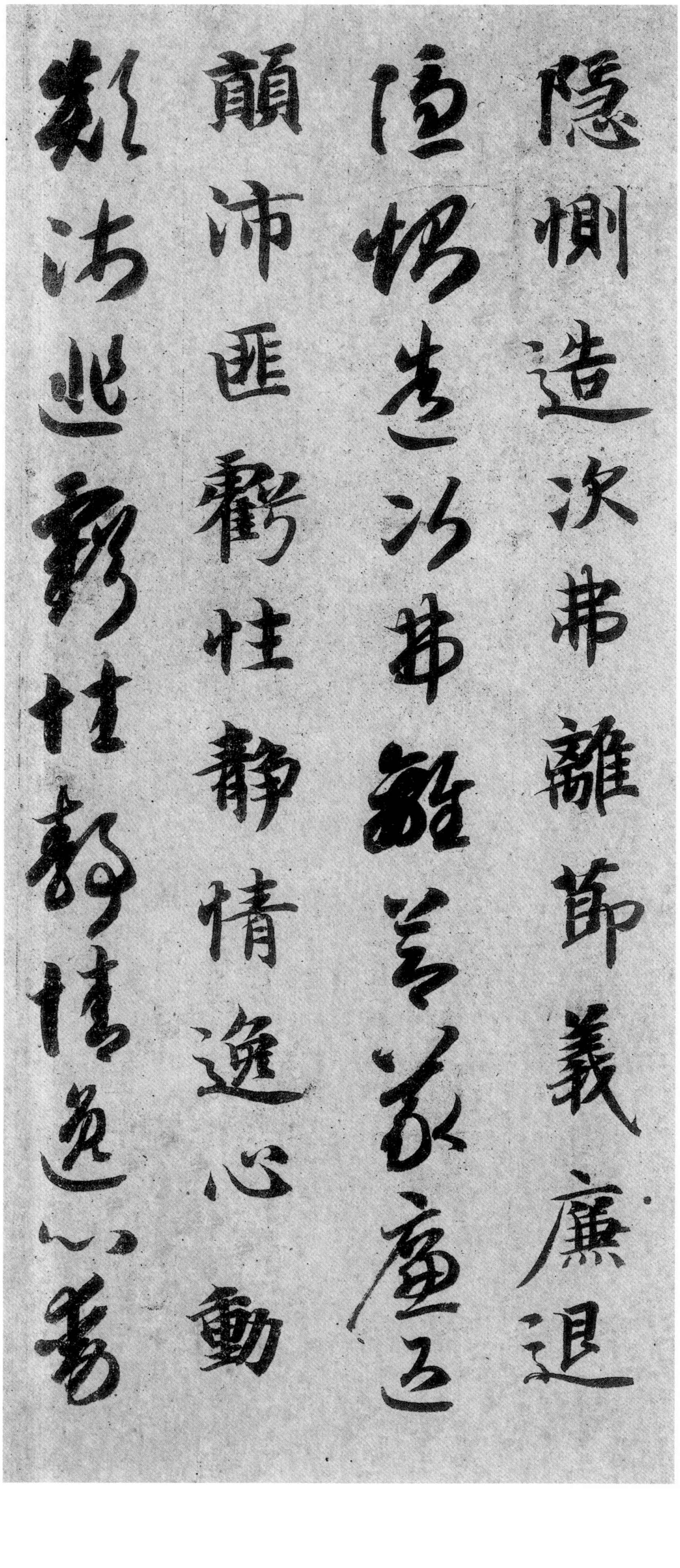
隱惻造次弗離節義廉退
隱惻造次弗離節義廉退
顛沛匪虧性靜情逸心動
顛沛匪虧性靜情逸心動

隱惻，造次弗離。節義廉退，/顛沛匪虧。性靜情逸，心動/

好爵自縻：語本《易・中孚》：『我有好爵，吾與爾靡之。』高亨注：『言我有美爵，與爾共之，即共飲此酒也。』好爵：本指精美的酒器，藉指美酒。此處比喻美好的品德。縻：通『靡』，本指浪費，此指享用，充實。此句說，具有美好的品德能使自身充實滿足。

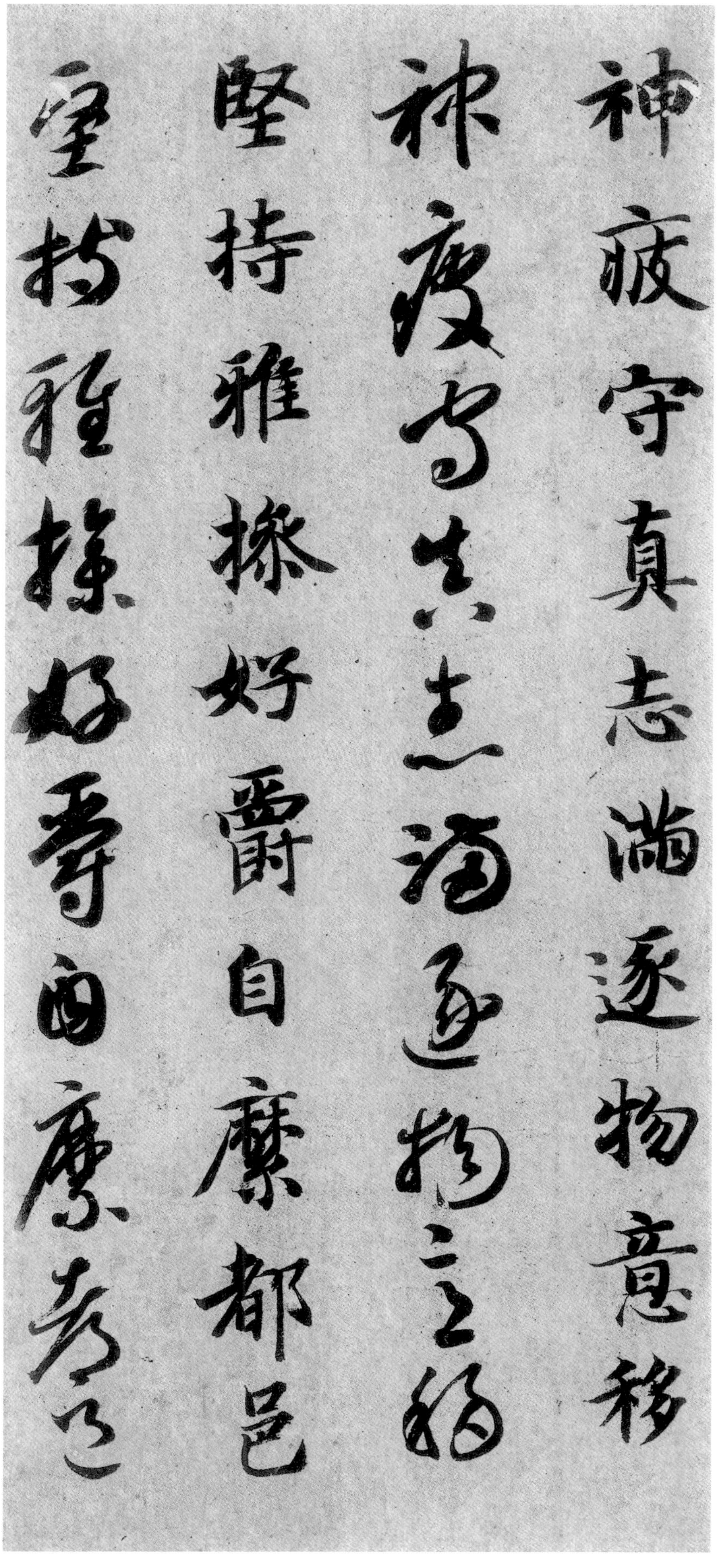

神疲。守真志滿，逐物意移。／堅持雅操，好爵自縻。都邑／

東西二京：指西漢都城長安與東漢都城洛陽。

芒：通『邙』，即北邙山。一作北芒，也稱芒山、郟山、北山。在今河南省洛陽市東北。漢魏以來，爲王侯公卿歸葬之處。洛：洛水。背芒面洛，指洛陽的地理位置，南臨洛水，北據邙山。

渭：渭水。涇：涇水。浮渭據涇：此句描寫長安的地理位置，長安在渭水和涇水邊，故稱浮於渭水，佔據涇水。

磐鬱：同『盤鬱』，形容宮殿盤曲壯觀。

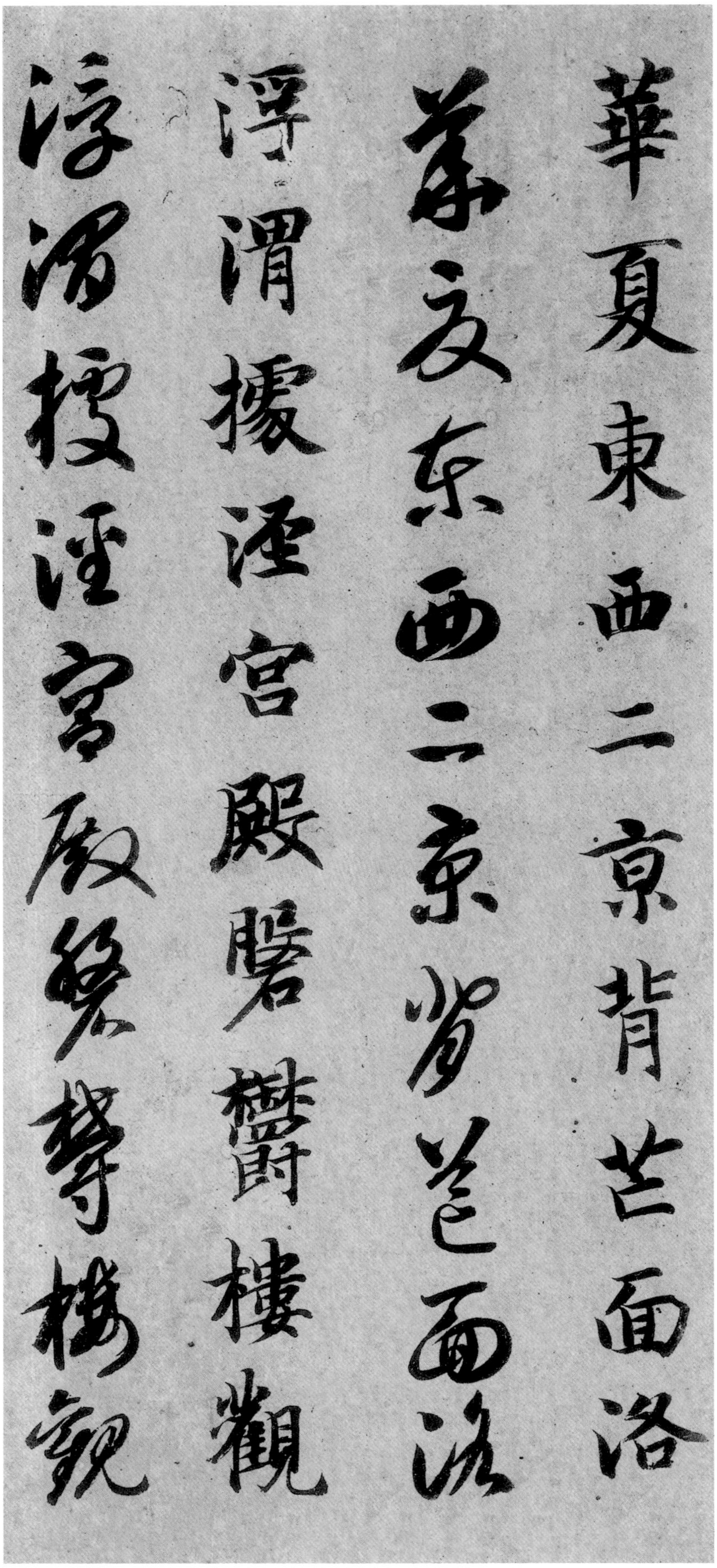
華夏東西二京背芒面洛
華夏東西二京背芒面洛
浮渭據涇宮殿磐鬱樓觀
浮渭據涇宮殿磐鬱樓觀

華夏，東西二京。背芒面洛，／浮渭據涇。宮殿磐鬱，樓觀／

丙舍：後漢宮中正室兩邊的房屋，以甲乙丙爲次，第三等稱丙舍。泛指正室旁的別室或簡陋的房屋。

甲帳：漢武帝所造的帳幕。《北堂書鈔》卷一三二引《漢武帝故事》：『上以琉璃珠玉，明月夜光雜錯天下珍寶爲甲帳，次爲乙帳。甲以居神，乙以自居。』

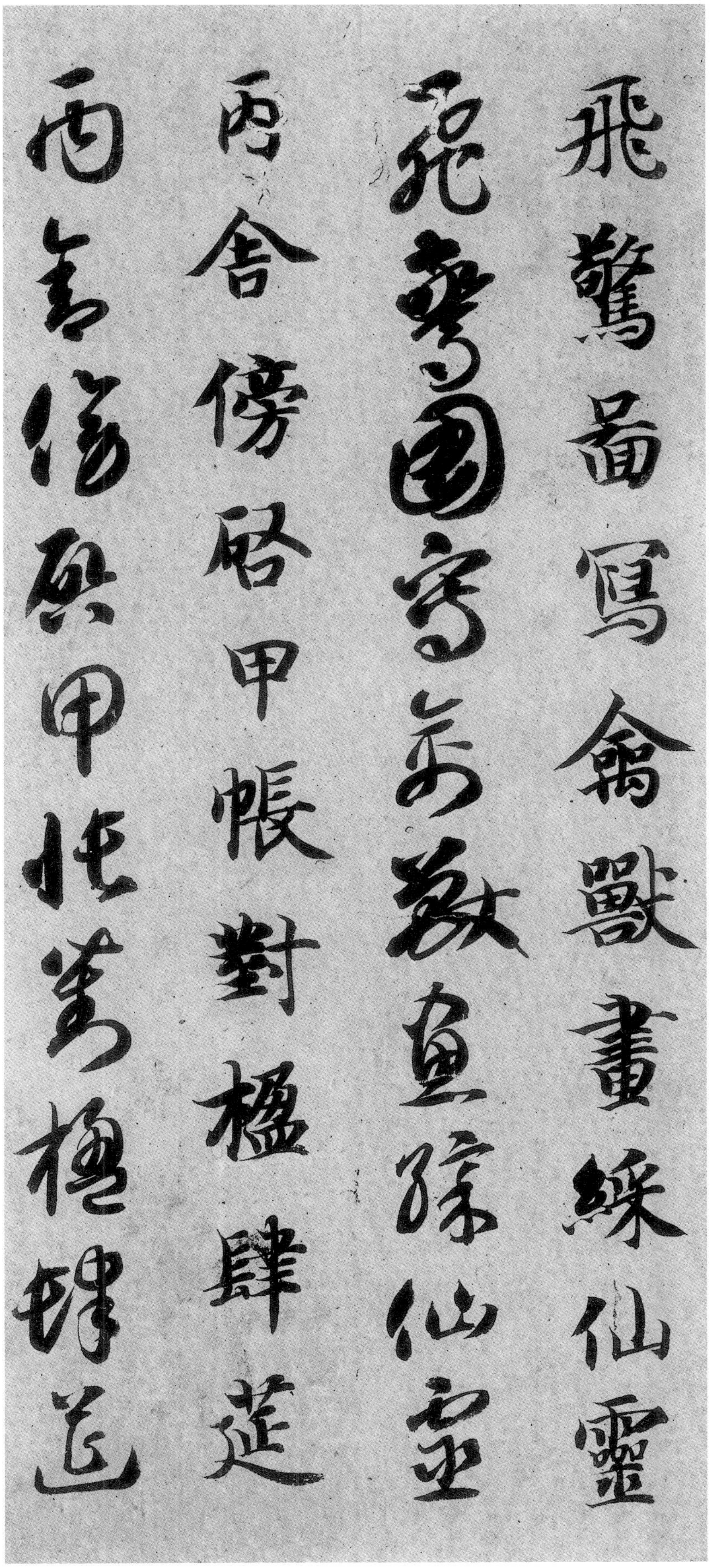

飛驚。圖寫禽獸，畫彩仙靈。／丙舍傍啓，甲帳對楹。肆筵／

鼓瑟吹笙：語出《詩經・小雅・鹿鳴》：『我有嘉賓，鼓瑟吹笙。』

納陛：古代帝王賜給有特殊功勳的諸侯或大臣的『九錫』之一。鑿殿基爲登升的陛級，納之於簷下，不使尊者露而升，故名。

弁：古時的一種官帽。赤黑色布做叫爵弁，是文冠；白鹿皮做的叫皮弁，是武冠。後泛指帽子。

弁轉疑星：形容人影雜遝，帽子如繁星流轉。

廣内：漢宮廷藏書之所。指皇家書庫。

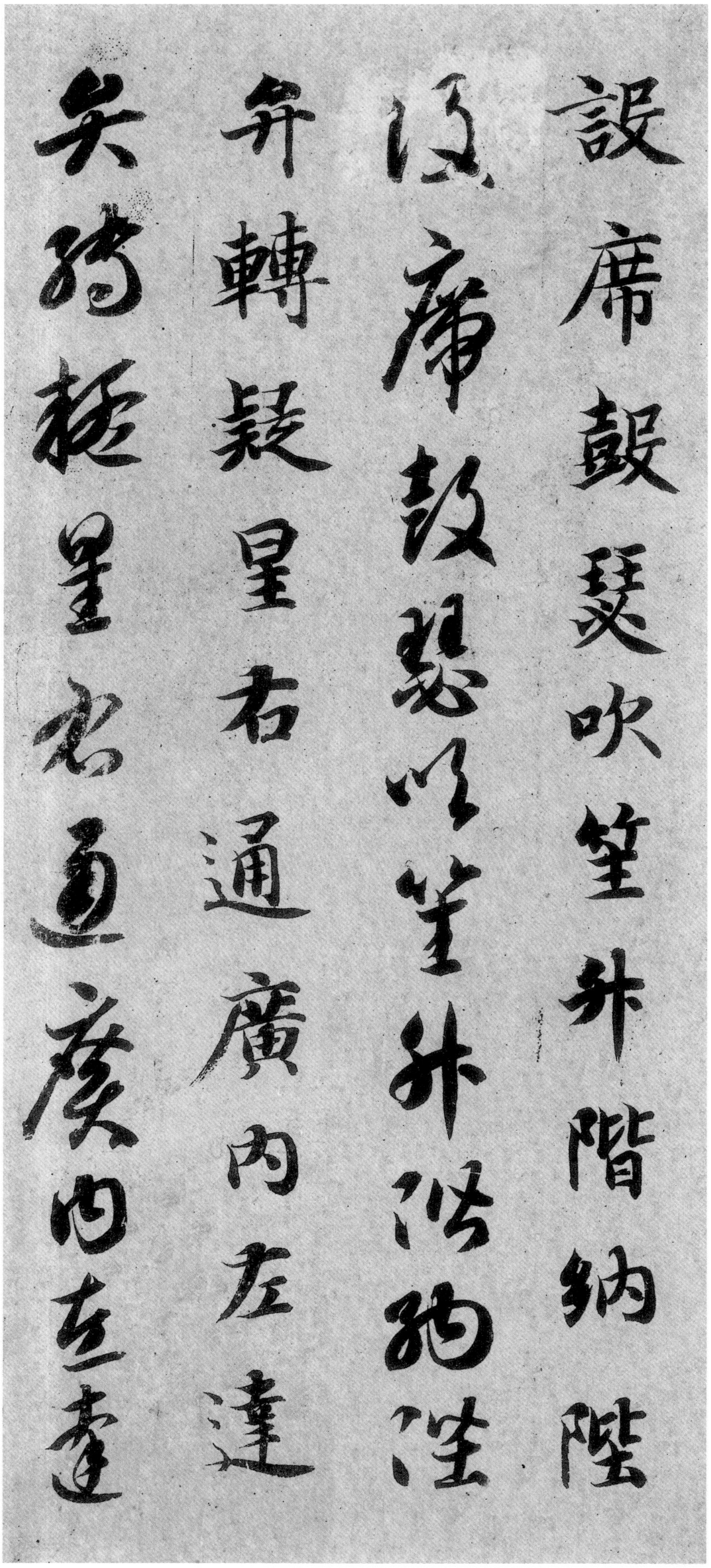

設席，鼓瑟吹笙。升階納陛，／弁轉疑星。右通廣内，左達／

承明：指承明廬，漢承明殿旁屋，爲侍臣值宿所居之處。又三國魏文帝以建始殿朝群臣，門曰承明，其朝臣止息之所亦稱承明廬。

杜稿：杜度的草書手稿；鍾隸：鍾繇的隸書（今稱楷書）。

漆書：用漆書寫的竹木簡。《東觀漢記·杜林傳》：『杜林字伯山，扶風人，於河西得漆書《古文尚書經》一卷。』壁經：漢代發現於孔子宅壁中的藏書。近人認爲這些書是戰國時的寫本，至秦始皇焚書坑儒時，由孔子八世孫孔鮒（或説孔鮒弟孔騰）藏入壁中的。

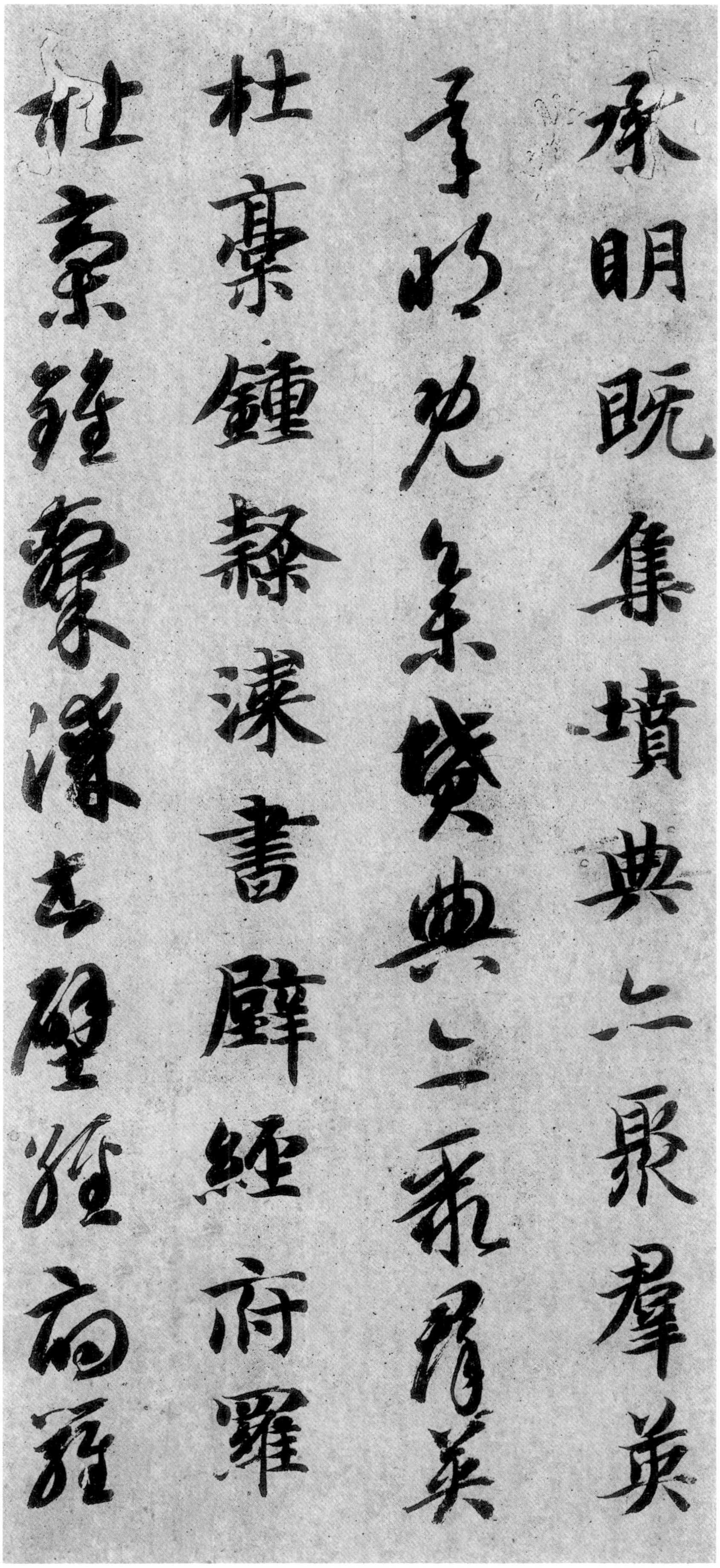

承明。既集墳典，亦聚群英。／杜稿鍾隸，漆書壁經。府羅／

俠：通『挾』，夾道而立。槐卿：相傳周代宮廷外種有三棵槐樹，三公朝天子時，面向三槐而立。後因以三槐喻三公。泛指三公九卿。

高冠：戴高大的帽冠，形容爲官。

陪輦：陪在皇帝御輦之旁。

驅轂：驅動車輪。

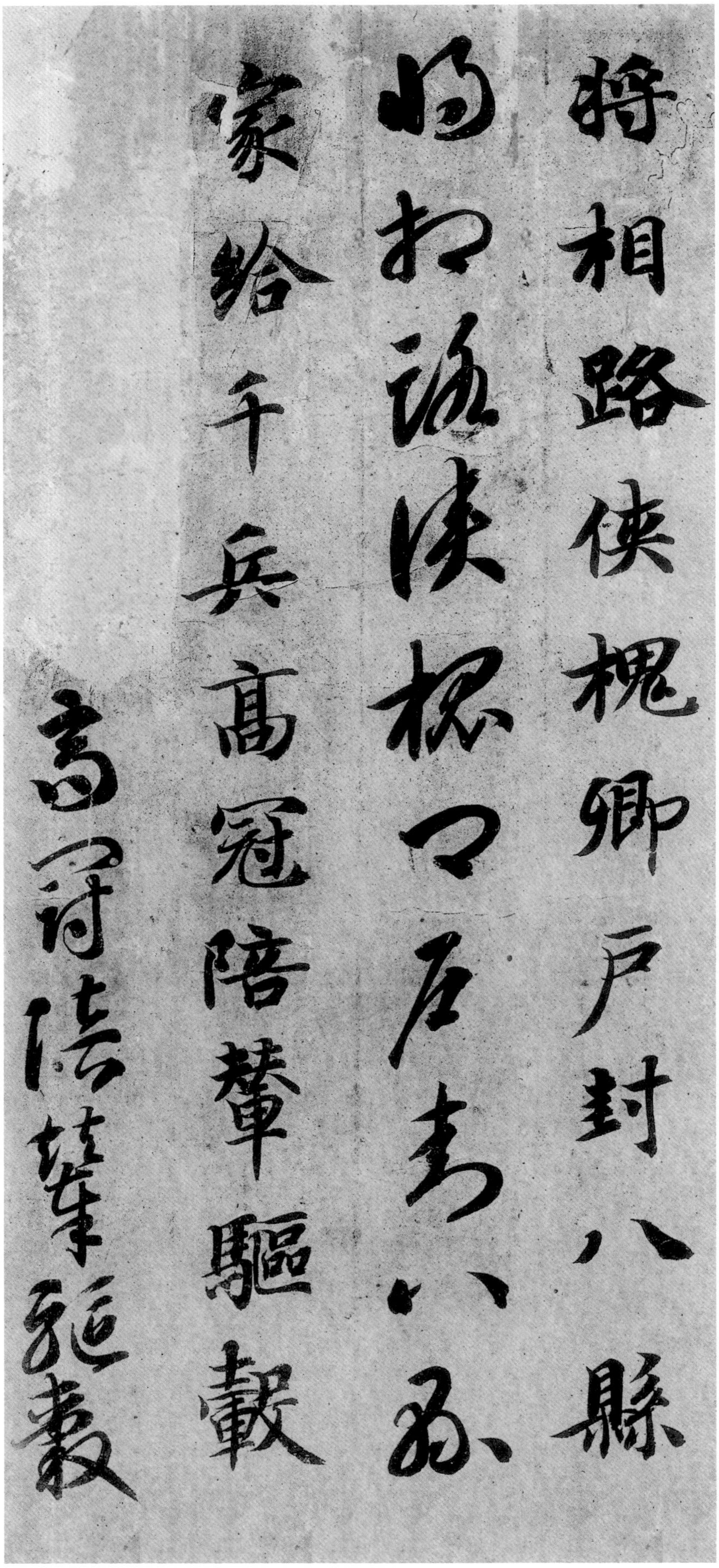
將相路俠槐卿戶封八縣
將相路俠槐卿戶封八縣
家給千兵高冠陪輦驅轂
高冠陪輦驅轂

將相，路俠槐卿。戶封八縣，╱家給千兵。高冠陪輦，驅轂╱

振纓：原指出仕。《晉書·周顗傳》：『顗振纓中朝，素有俊彥之稱。』

磻溪：水名。在今陝西省寶鷄市東南，傳說爲周呂尚未遇文王時垂釣之處。借指呂尚。

振纓。世祿侈富，車駕肥輕。／策功茂實，勒碑刻銘。磻溪／

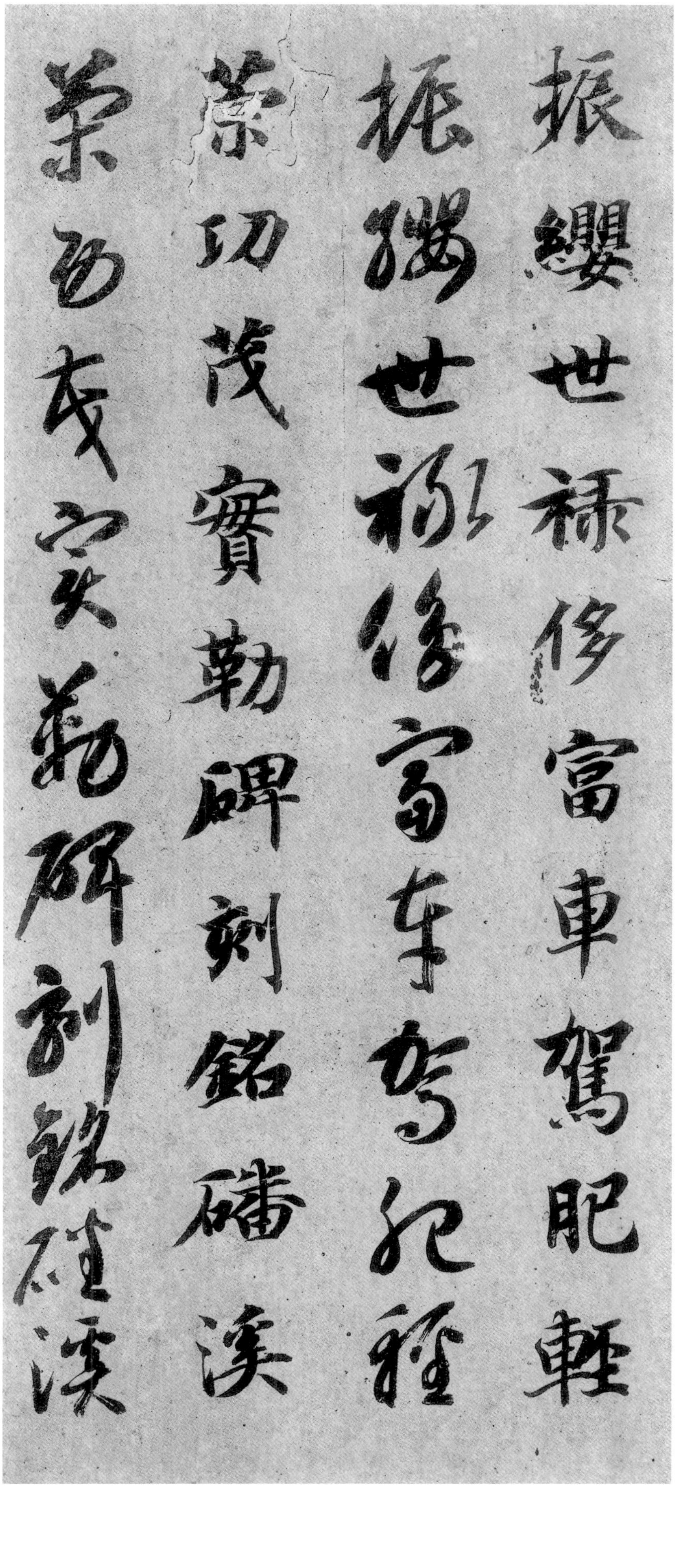
振纓世祿侈富車駕肥輕
振纓世祿侈富車駕肥輕
策功茂實勒碑刻銘磻溪
策功茂實勒碑刻銘磻溪

伊尹：商湯大臣，名伊，尹是官名。相傳因生於伊水而得名。是湯妻陪嫁的奴隸，後助湯伐夏桀，被尊爲阿衡。湯去世後歷佐卜丙、仲壬二王。後太甲即位，因荒淫失度，被伊尹放逐到桐宫，三年後迎之復位。

佐時：輔佐當世之君治理國家。阿衡：本爲商代官名。伊尹曾任此職，故以指伊尹。後引申爲任國家輔弼之臣，宰相之職。

奄宅：撫定，統治。奄宅曲阜：指周武王封弟周公旦於曲阜。

桓公：齊桓公。匡合：語出《論語·憲問》：『桓公九合諸侯，不以兵車，管仲之力也……管仲相桓公，霸諸侯，一匡天下，民到於今受其賜。』後以『匡合』謂糾合力量，匡定天下。

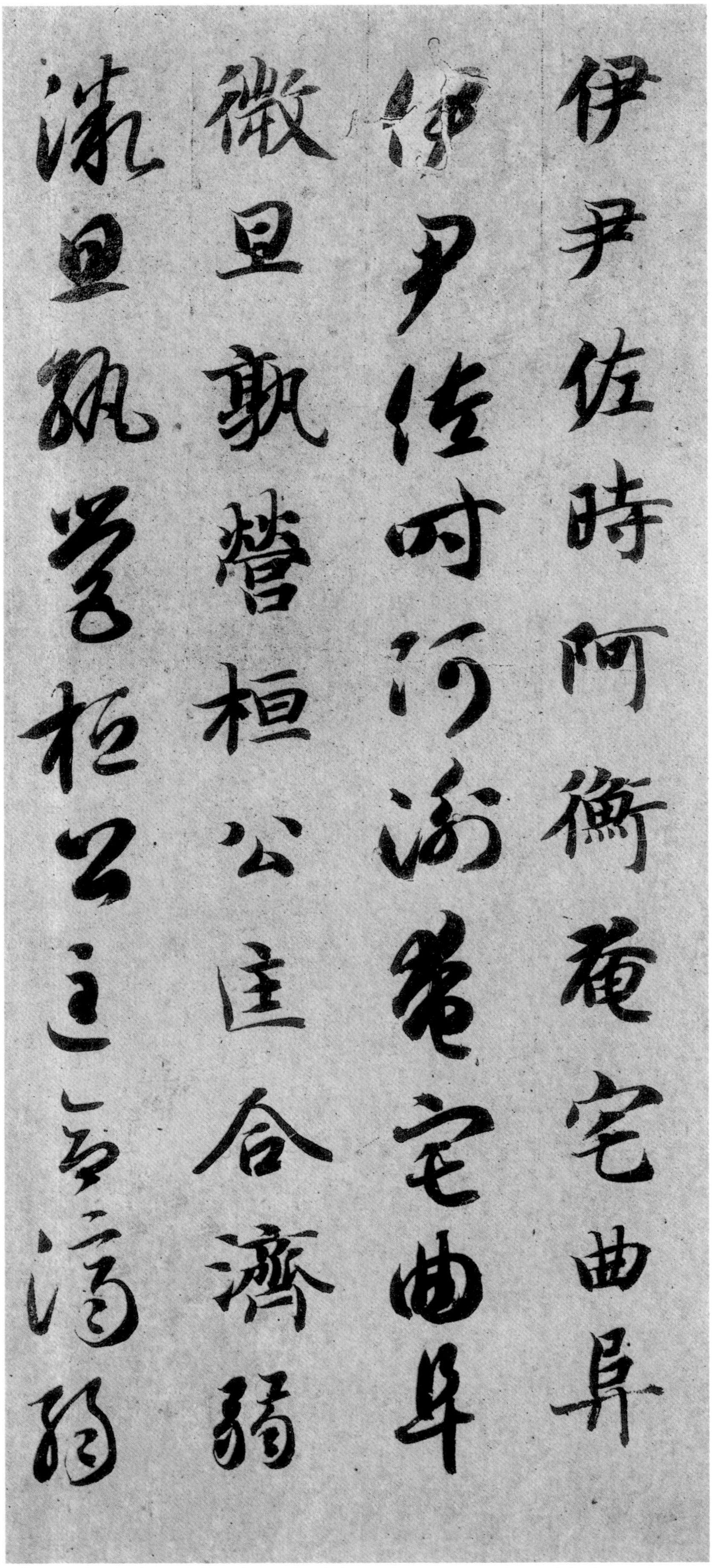

伊尹，佐時阿衡。奄宅曲阜，∕微旦孰營？桓公匡合，濟弱∕

綺迴漢惠：綺，綺里季，商山四皓之一。漢惠帝做太子時，漢高祖欲廢之另立。吕后用張良的計策，厚禮迎來商山四皓，使他們與太子相處。漢高祖看到惠帝羽翼已成，就打消了另立太子的念頭。事見《史記·留侯世家》。

説感武丁：説，傅説。傅説原是傅岩築土墻的奴隸，殷高宗武丁夢見他，便畫像求訪，找到以後，用爲宰相。

俊乂：才德出衆的人。密勿：通『黽勉』，勤勉努力。

多士：衆多的賢士。也指百官。《詩經·大雅·文王》：『濟濟多士，文王以寧。』寔：通『實』，語助詞。

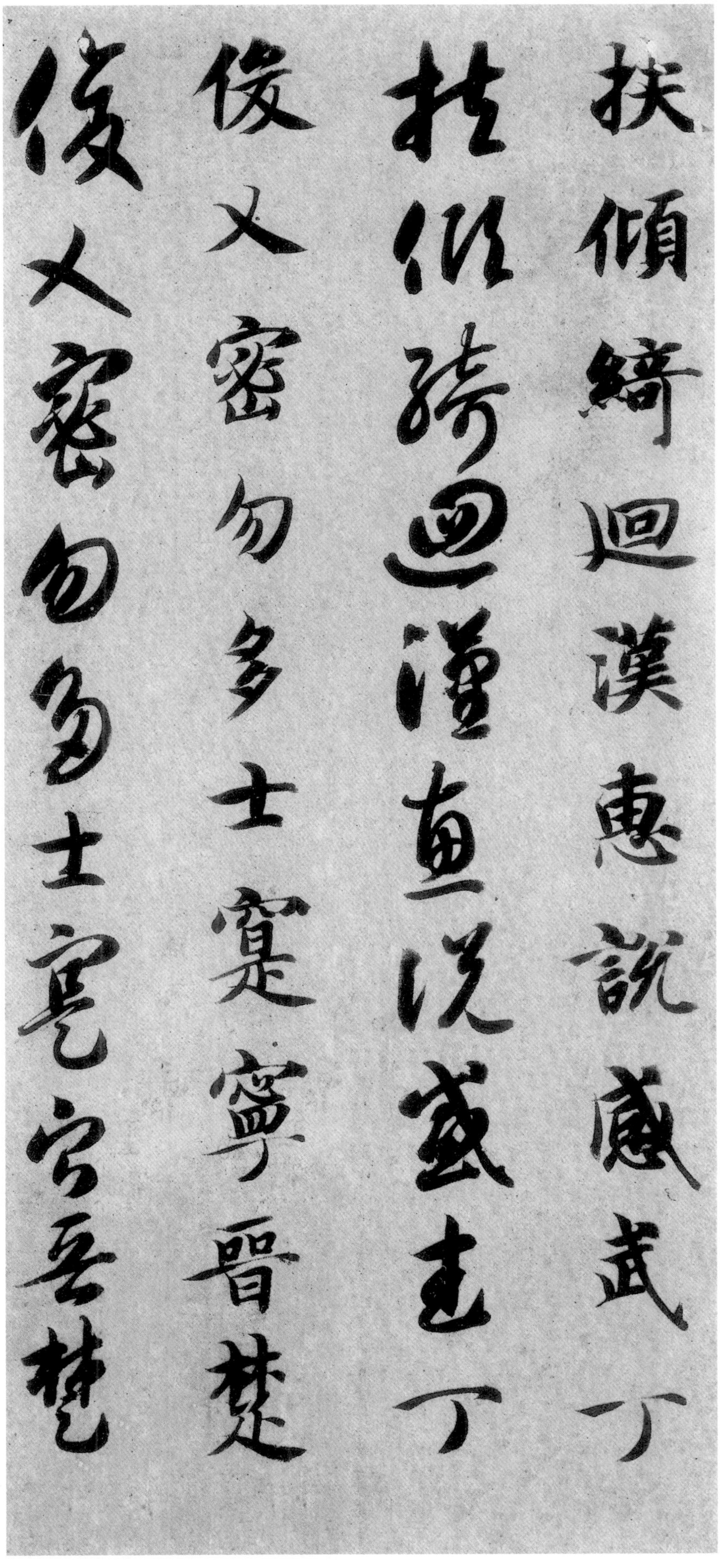

扶傾。綺迴漢惠，説感武丁。／俊乂密勿，多士寔寧。晉楚／

橫：連橫。戰國時張儀遊說六國共同事奉秦國稱連橫，蘇秦說六國聯合抗秦叫合縱。

假途滅虢：晉國向虞國借路去攻打虢國，在滅虢後的回師途中，把虞國也滅了。事見《左傳·僖公五年》。後以『假途滅虢』泛指借助對方之力而背後還藏有其他陰謀。

踐土會盟：踐土，古地名。春秋屬鄭，在今河南原陽西南。公元前六三二年，晉文公會盟諸侯於此。

何遵約法：指漢高祖丞相蕭何推行輕刑簡法的政策。

韓弊煩刑：弊，通『斃』。戰國韓非子主張嚴刑峻法，最終自己也死於煩苛的刑法之下。

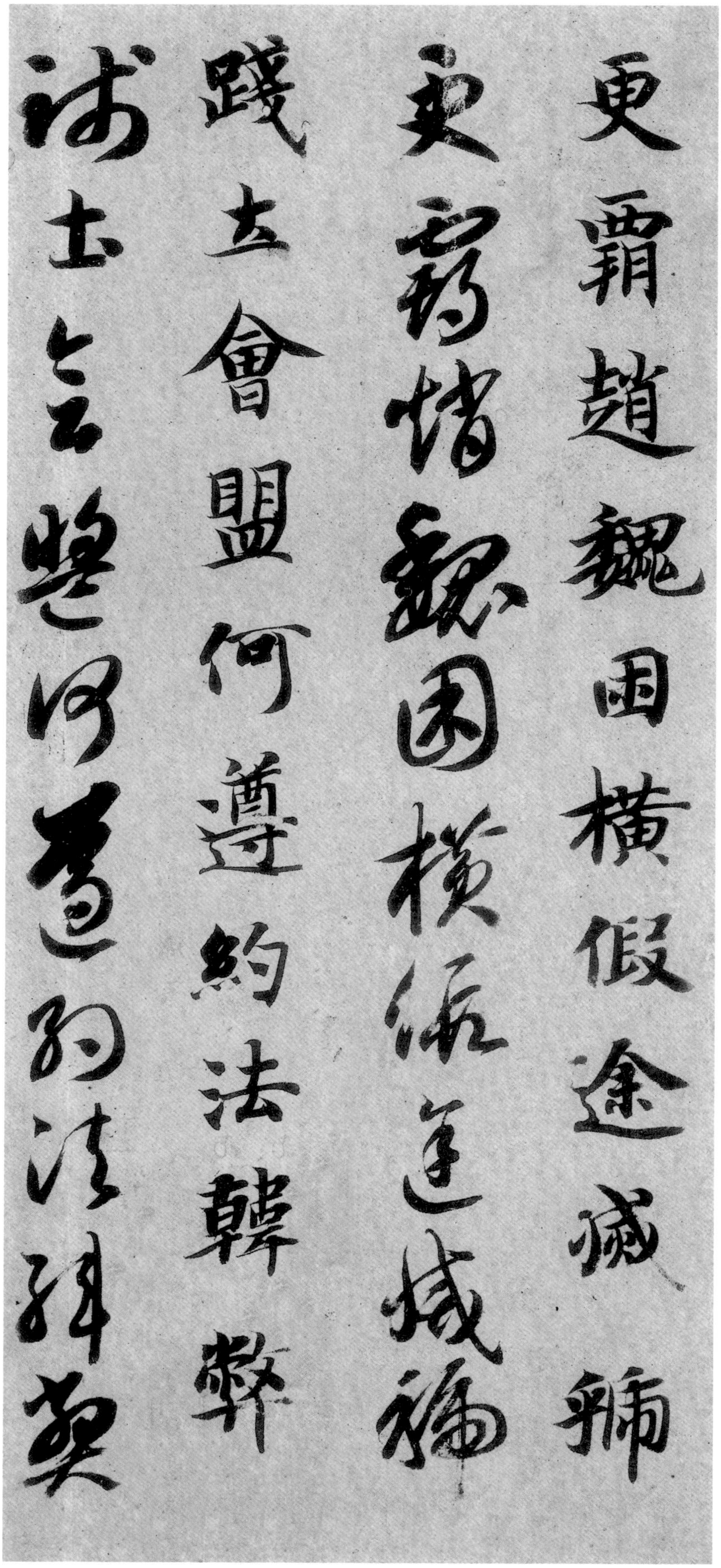

更霸，趙魏困橫。假途滅虢，/踐土會盟。何遵約法，韓弊/

起翦頗牧：即秦將白起、王翦，趙將廉頗、李牧。四人均爲戰國名將。

丹青：圖畫。此指頌揚先賢的畫像。

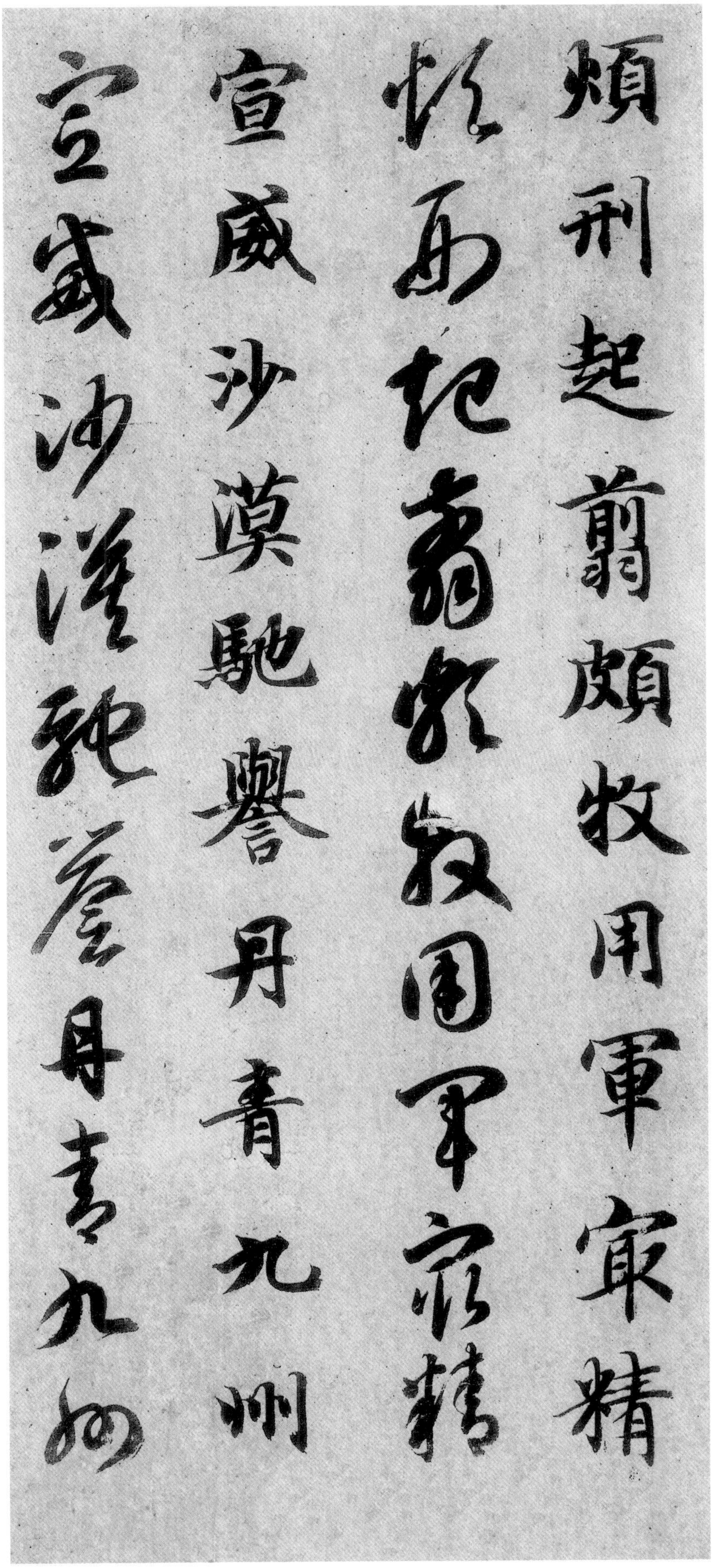

煩刑。起翦頗牧，用軍最精。／宣威沙漠，馳譽丹青。九州／

恒岱：北岳恒山和東岳泰山。

云亭：云云、亭亭二山的並稱。爲古代帝王封禪之處。

雁門：即雁門關。在今山西省代縣北部，是長城重要關口之一。

紫塞：北方邊塞。晉崔豹《古今注·都邑》：『秦築長城，土色皆紫，漢塞亦然，故稱紫塞焉。』

鷄田：古驛站，在今寧夏靈武縣一帶。

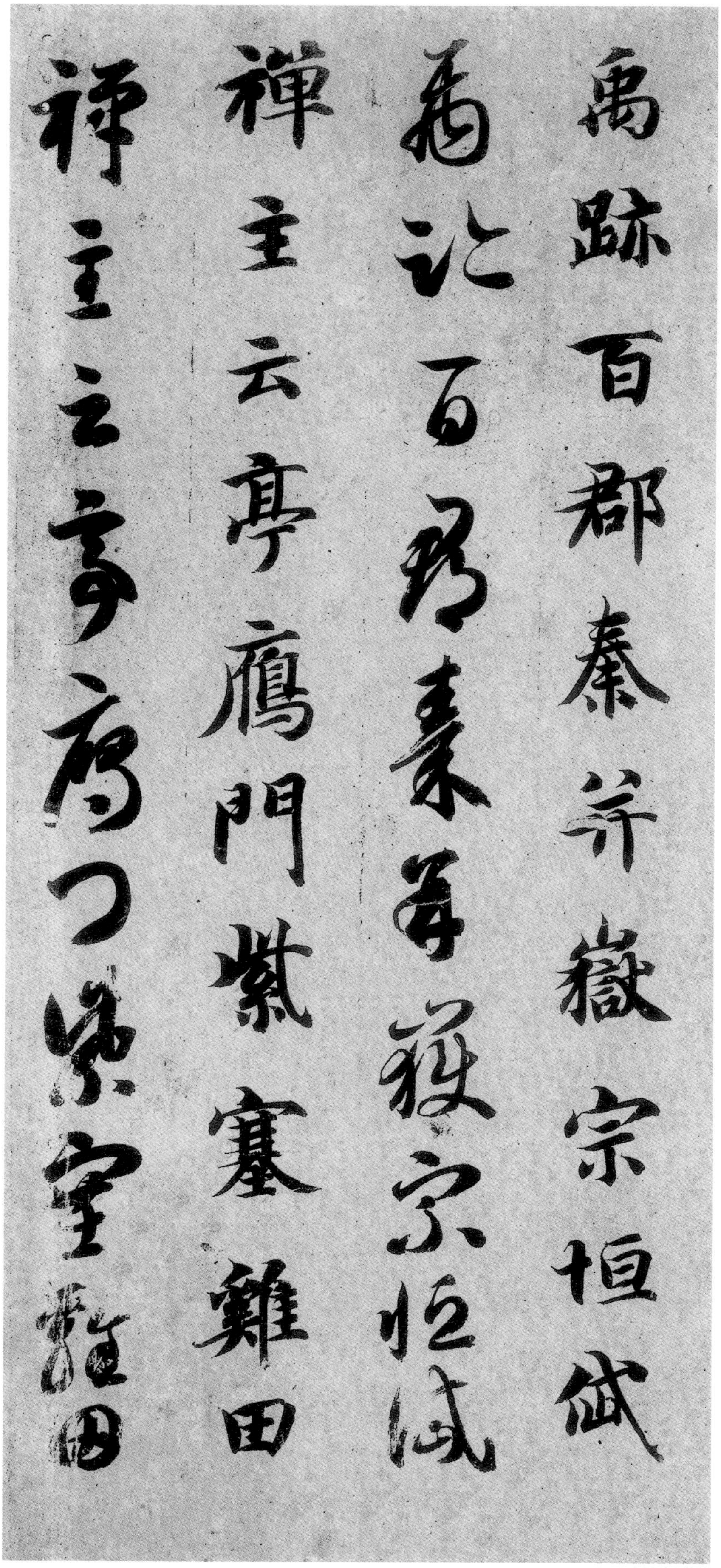

禹跡，百郡秦併。岳宗恒岱，／禪主云亭。雁門紫塞，鷄田／

赤城：今浙江台州赤城山。

昆池：即昆明池。漢武帝於長安近郊所鑿，仿雲南之滇池，以習水戰。池周圍四十里，廣三百三十二頃。宋代以後湮没。

碣石：山名，在河北省昌黎縣北。碣石山餘脈的柱狀石亦稱碣石，該石自漢末起已逐漸沉没於海中。

鉅野：古湖澤名，在今山東省鉅野縣北五里。

綿邈：遼遠。

杳冥：幽暗深邃。

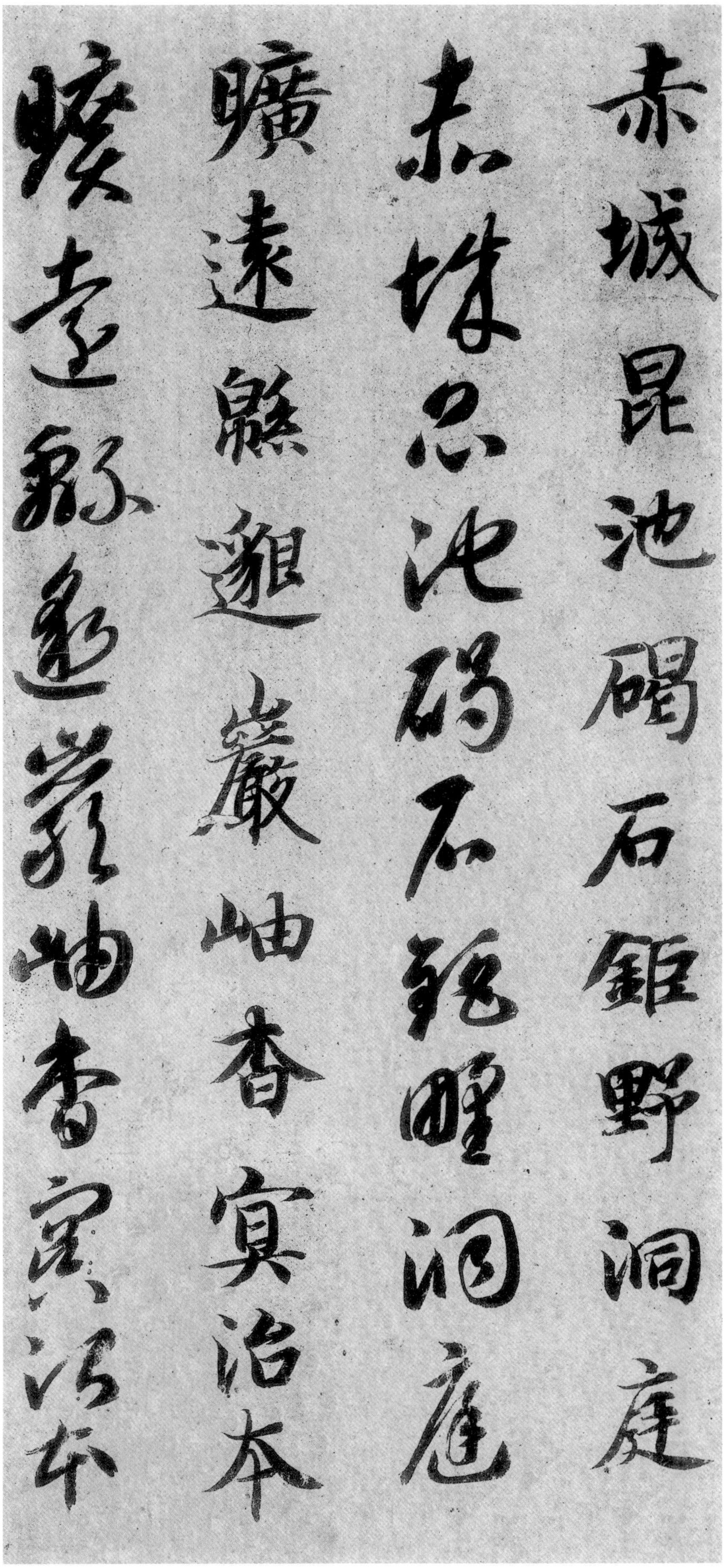

赤城。昆池碣石，鉅野洞庭。/曠遠綿邈，巖岫杳冥。治本/

俶載：開始從事某種工作。語出《詩經·小雅·大田》：『俶載南畝，播厥百穀。』

藝：耕種。黍稷：古代兩種主要農作物。泛指五穀。

稅熟貢新：將新收穫的莊稼納稅、進貢。

勸賞黜陟：獎賞升遷和貶斥罷黜。

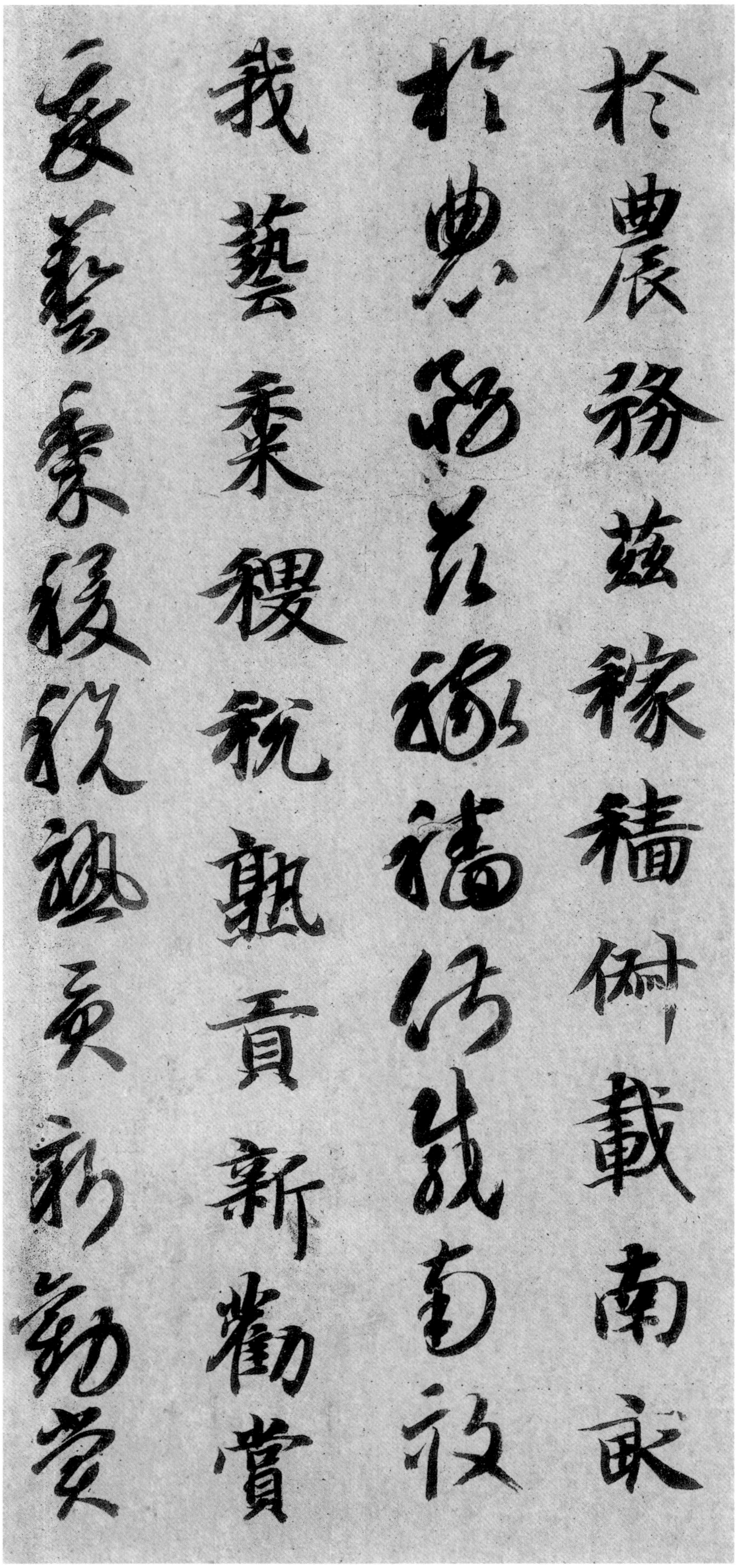

於農，務茲稼穡。俶載南畝，／我藝黍稷。稅熟貢新，勸賞／

黜陟。孟軻敦素，史魚秉直。／庶幾中庸，勞謙謹敕。聆音／

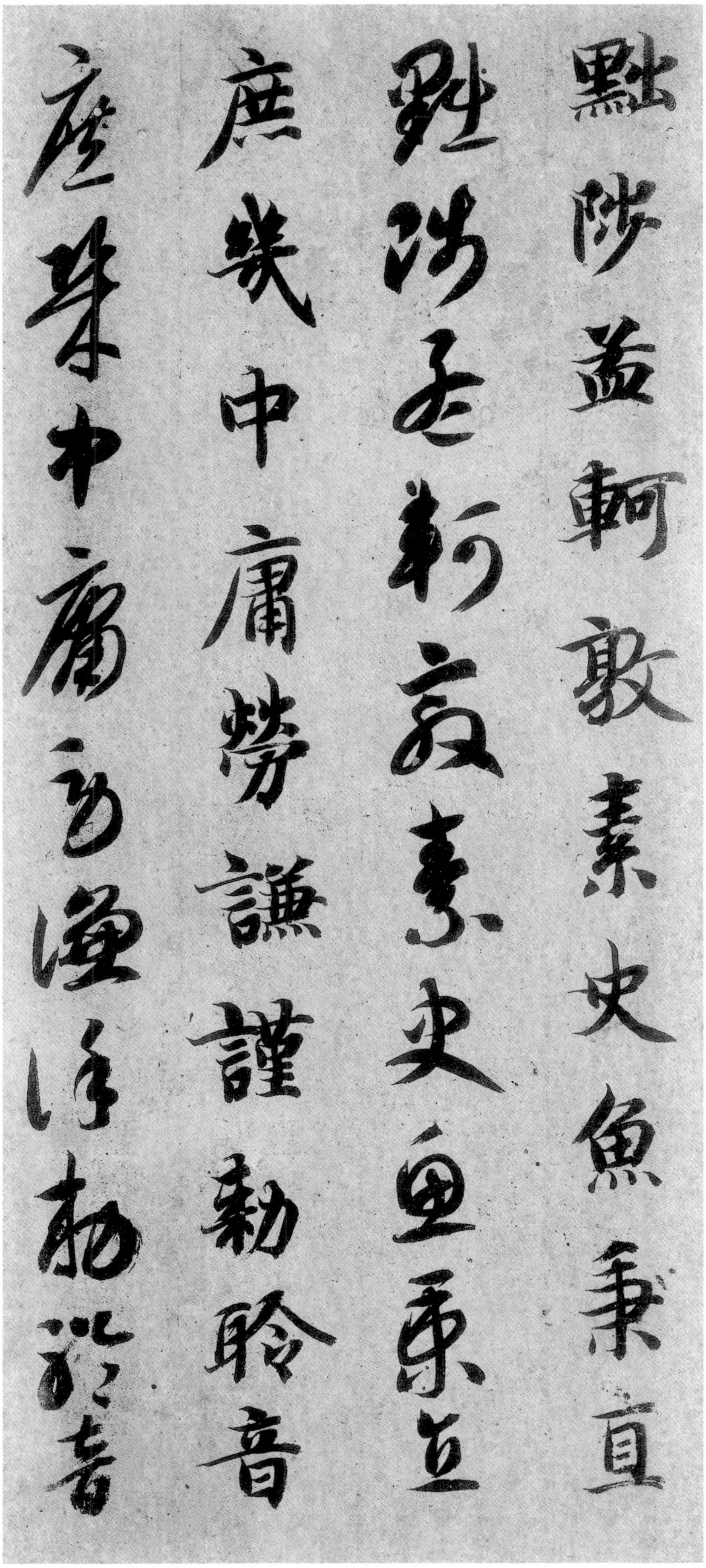
黜陟孟軻敦素史魚秉直
黜陟孟軻敦素史魚秉直
庶幾中庸勞謙謹敕聆音
庶幾中庸勞謙謹敕聆音

史魚秉直：春秋衛國大夫，字子魚，衛靈公時任祝史。他多次向衛靈公推薦賢士蘧伯玉，臨死囑家人不要『治喪正室』，以勸戒衛靈公進賢去佞，史稱『屍諫』。孔子讚曰：『直哉史魚，邦有道，如矢；邦無道，如矢。』（《論語·衛靈公》）

勞謙謹敕：勤勞謙恭，謹慎自飭。敕：整。

貽厥嘉猷：將優秀的治國之道傳示後人。貽：遺留。嘉猷：治國的良策。

勉其祗植：勉勵後人立身正直。祗：恭敬，正直。植：立身之道。

省躬譏誡：聽到別人的譏諷和勸誡要自我省查。

寵增抗極：一味增寵，可能物極必反。抗極：亢極，達到極限。

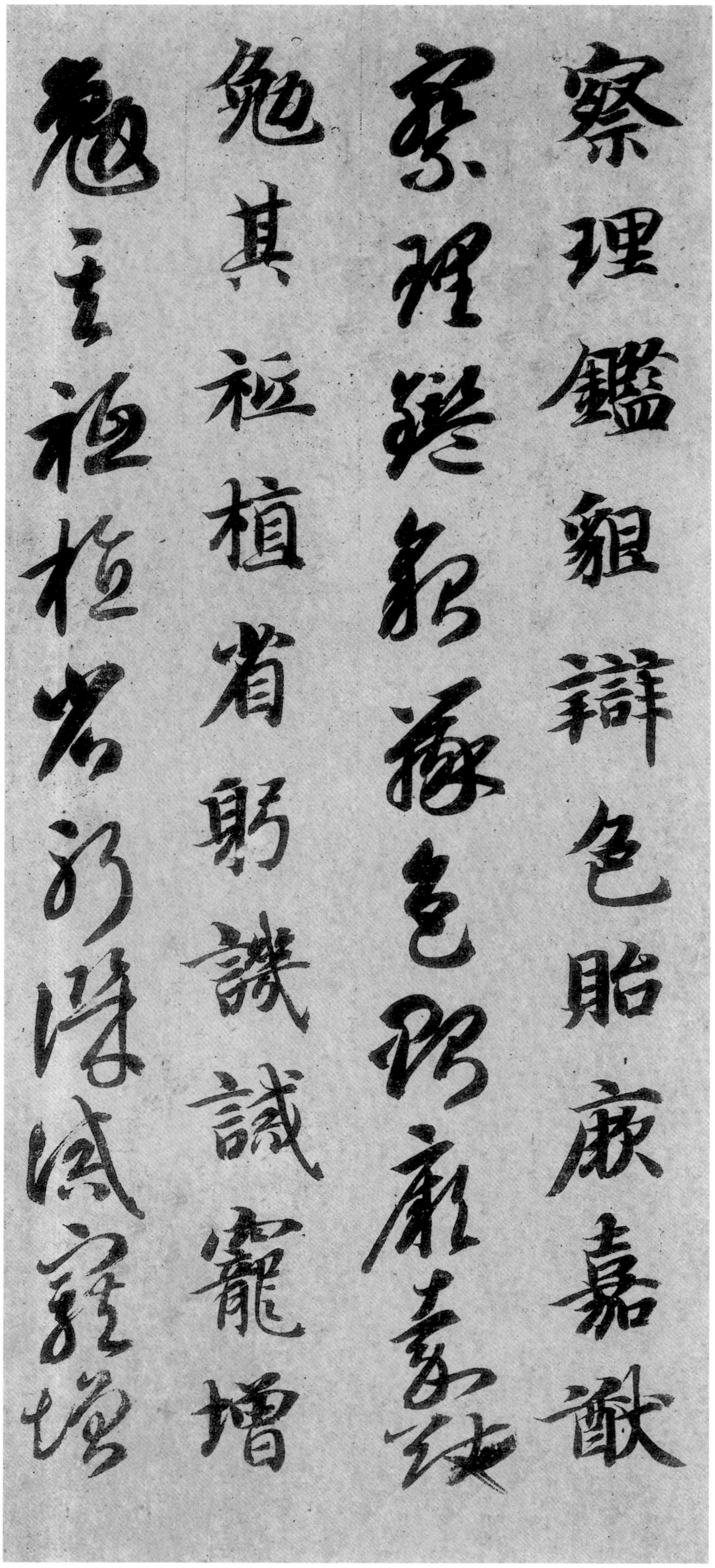

察理，鑒貌辯色。貽厥嘉猷，／勉其祗植。省躬譏誡，寵增／

殆辱近恥：將受恥辱。殆：危險。

林皋：山林水澤。『殆辱近恥，林皋幸即』，意爲在將受恥辱的危險之地，要儘快隱退山林。

兩疏：漢宣帝時名臣疏廣與兄子疏受。疏廣爲太傅，疏受爲少傅，同時以年老乞致仕，時人賢之。歸日，送者車數百輛，設祖道，供張東都門外。見機：察見變化的先機。

解組：解下印綬，指棄官退隱。

索居：獨居。

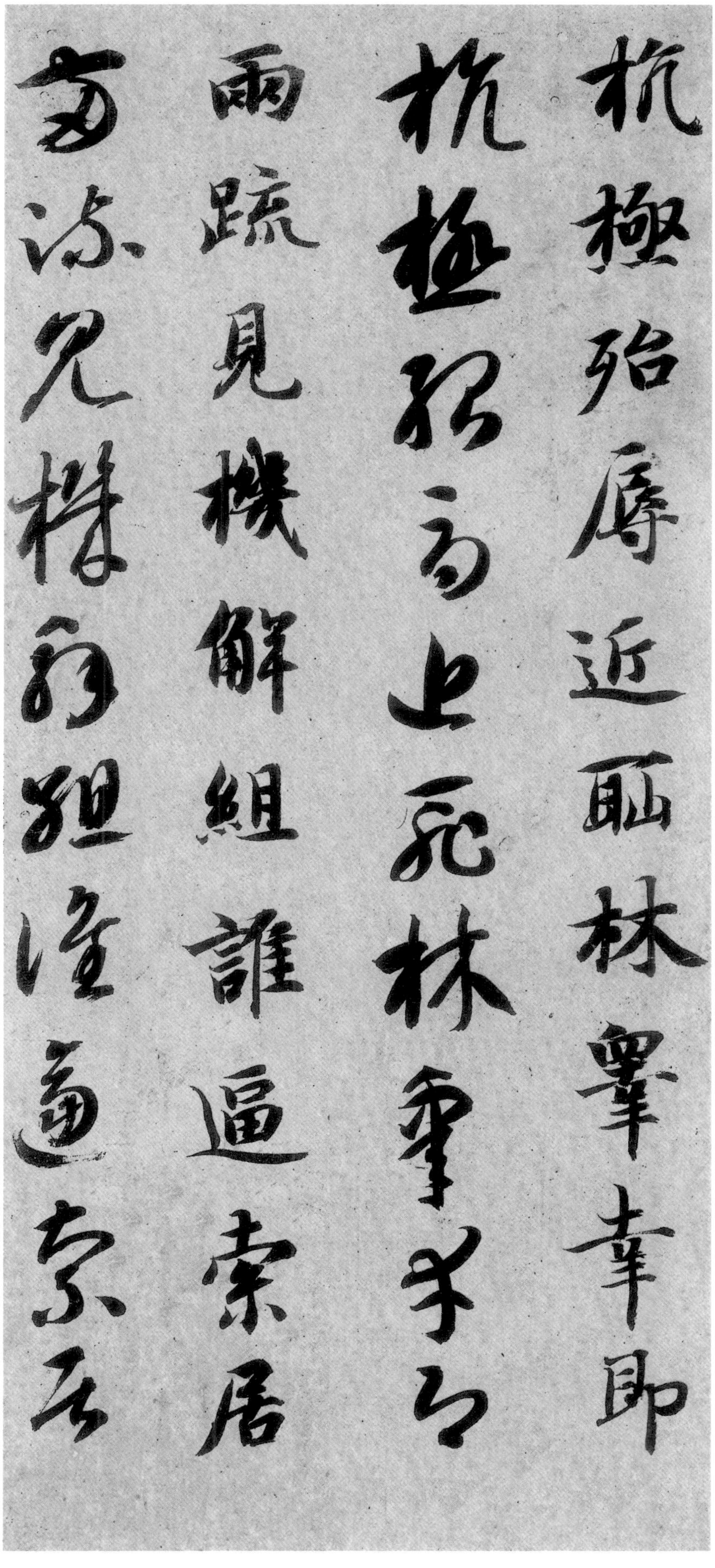

抗極。殆辱近恥，林皋幸即。/兩疏見機，解組誰逼？索居/

欣奏累遣：讓高興的事都到前來，把疲勞的事排遣而去。《說文解字》：『奏，進也。』

慼謝歡招：把悲傷的事丟在一邊，把歡樂的事招到眼前。

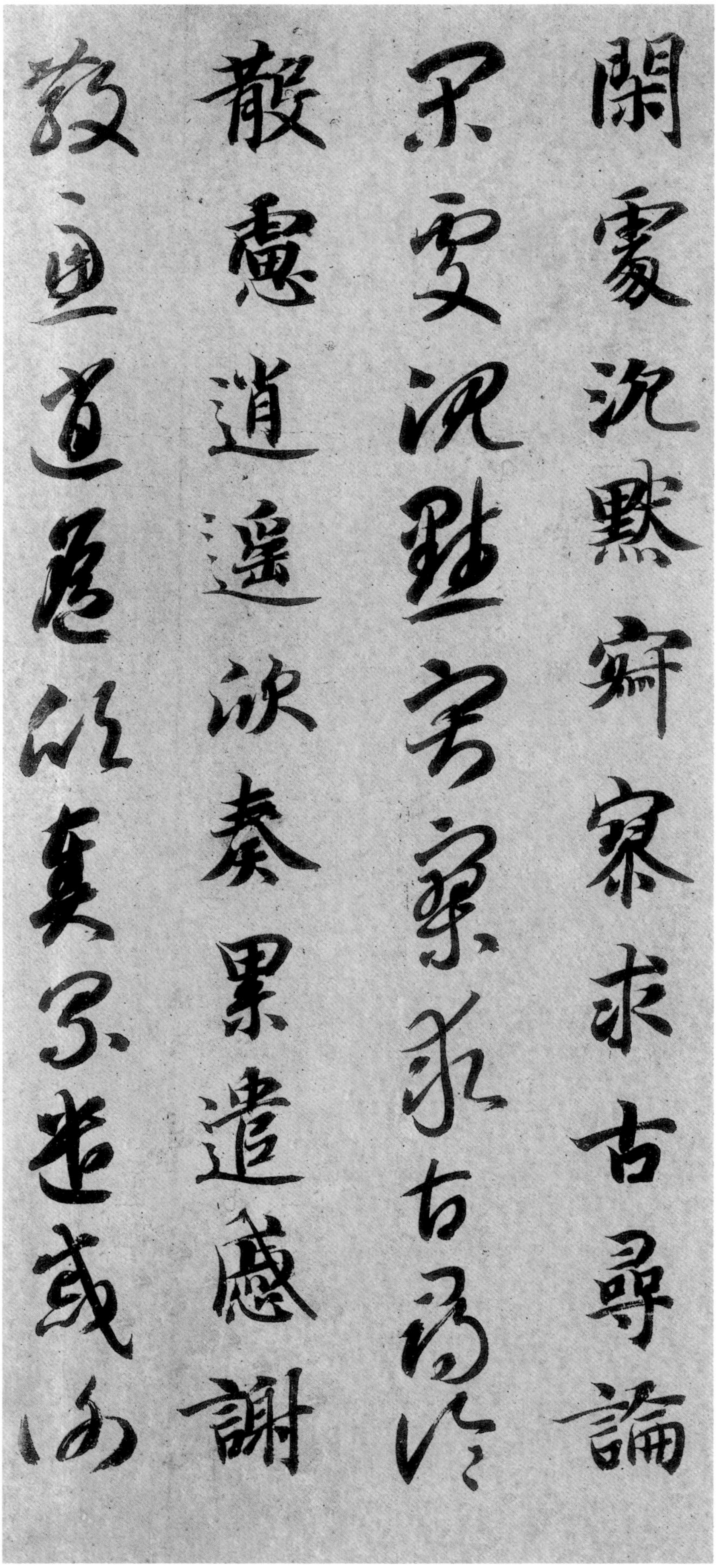
閑處沉默寂寥求古尋論
閑處沉默寂寥求古尋論
散慮逍遙欣奏累遣慼謝
散慮逍遙欣奏累遣慼謝

閑處，沉默寂寥。求古尋論，／散慮逍遙。欣奏累遣，慼謝／

歡招。渠荷的歷，園莽抽條。／枇杷晚翠，梧桐早凋。陳根／

的歷：光彩鮮豔。

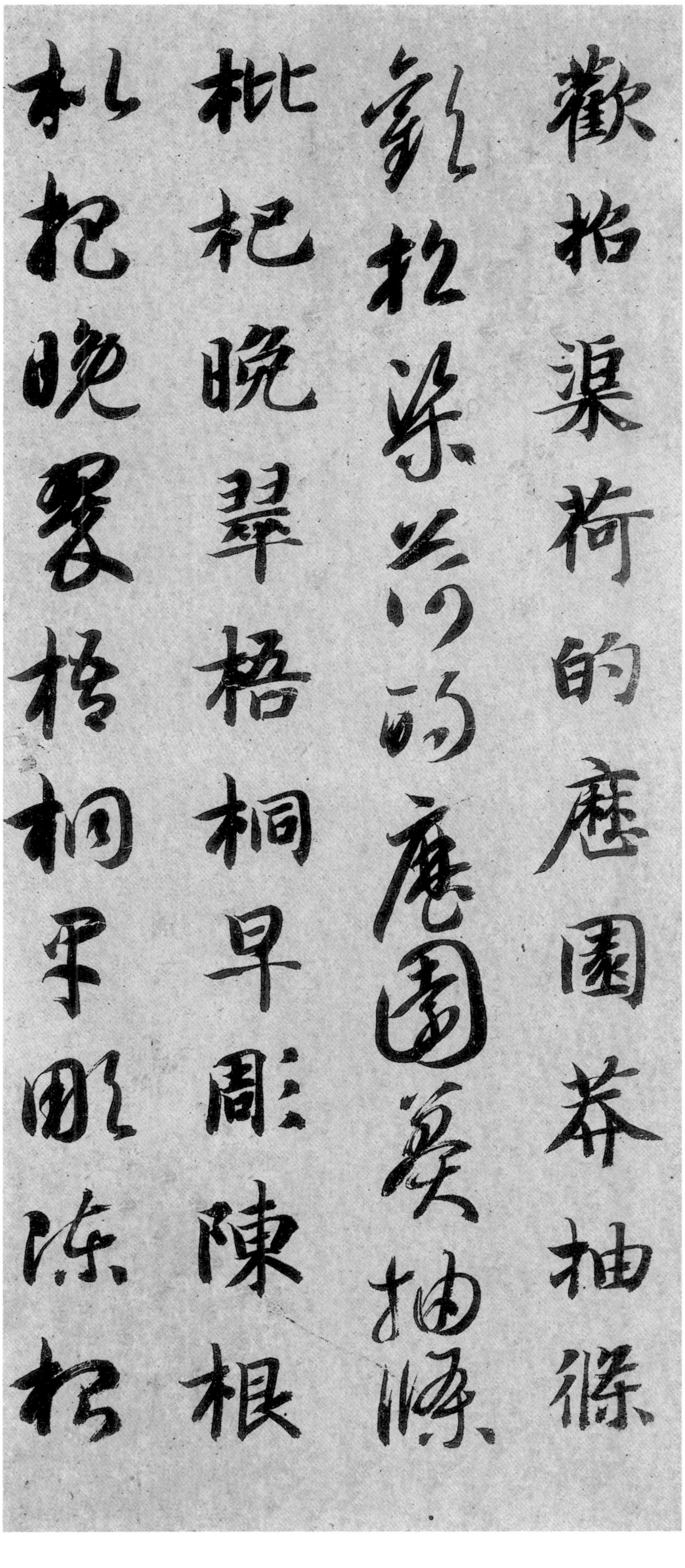

委翳：枯萎倒伏。委，通『萎』。翳：通『殪』，樹木枯死，倒伏於地。

遊鵾：鵾鷄，古書上説的一種形似天鵝的大鳥。

淩摩：迫近。絳霄：天空的極高處。天之色本爲蒼青，稱之爲『丹霄』、『絳霄』者，因古人觀天象以北極爲基準，仰首所見者皆在北極之南，故借南方之色以爲喻。

耽讀翫市：在噪雜的市場裡還能潛心讀書。《後漢書・王充傳》：『家貧無書，常遊洛陽市肆，閲所賣書，一見輒能誦憶。日久，遂博通衆流百家之言。後歸鄉里，屏居教授。』

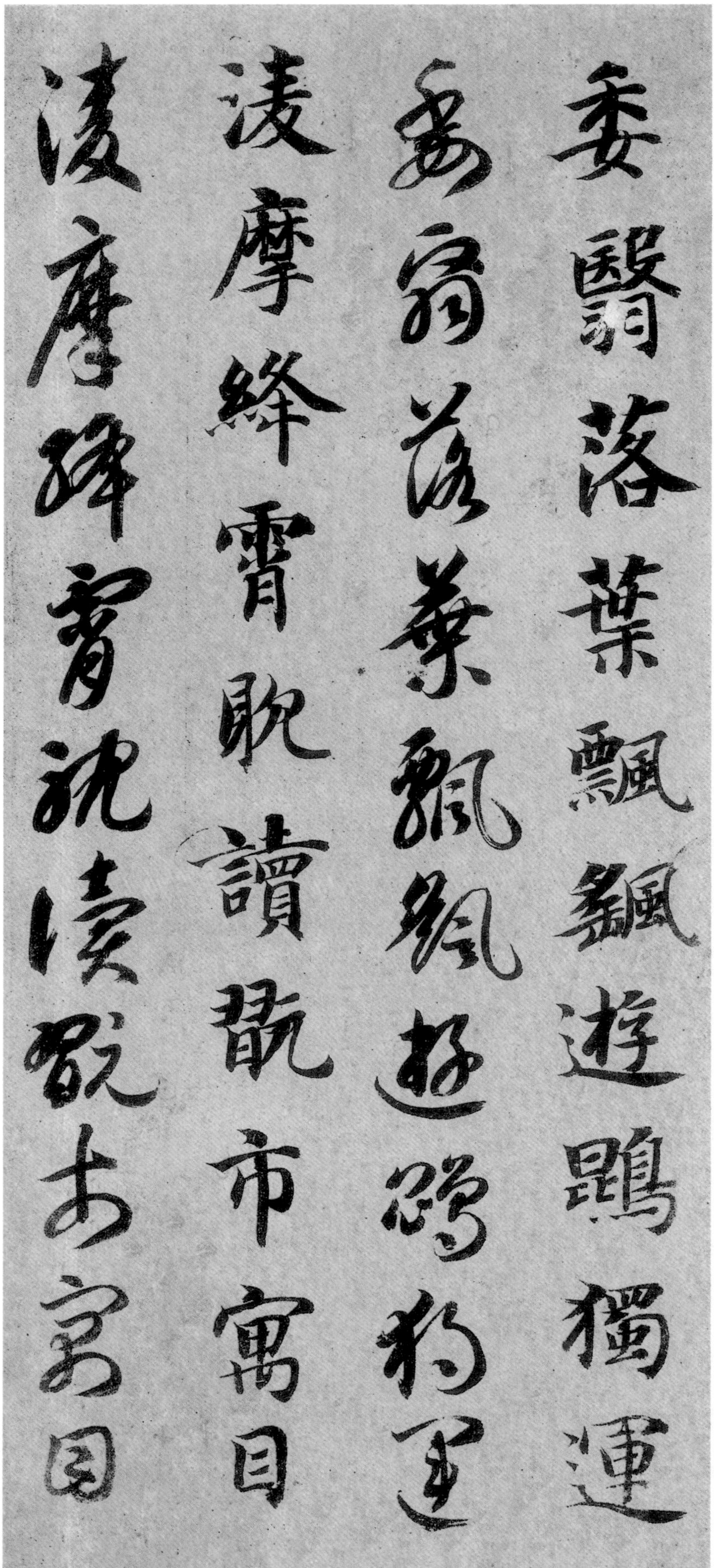

委翳，落葉飄颻。遊鵾獨運，/淩摩絳霄。耽讀翫市，寓目/

囊箱：書囊，書箱。

易輶：隨便輕率（地發言）。輶：輕。《詩經·大雅·烝民》：『德輶如毛。』《説文解字》：『輶，輕車也。從車酋聲。』段玉裁注：『輶車即輕車也。本是車名，引申爲凡輕之稱。《大雅》：「德輶如毛。」箋云：「輶，輕也。」』攸畏：有所畏懼。

屬耳垣墻：語出《詩經·小雅·小弁》：『君子無易由言，耳屬於垣。』屬：連，貼近。屬耳垣墻：即將耳朵貼在墻上，即爲隔墻有耳。

飫：飽，引申爲厭惡。《廣雅》：『飫，飽也，厭也。』

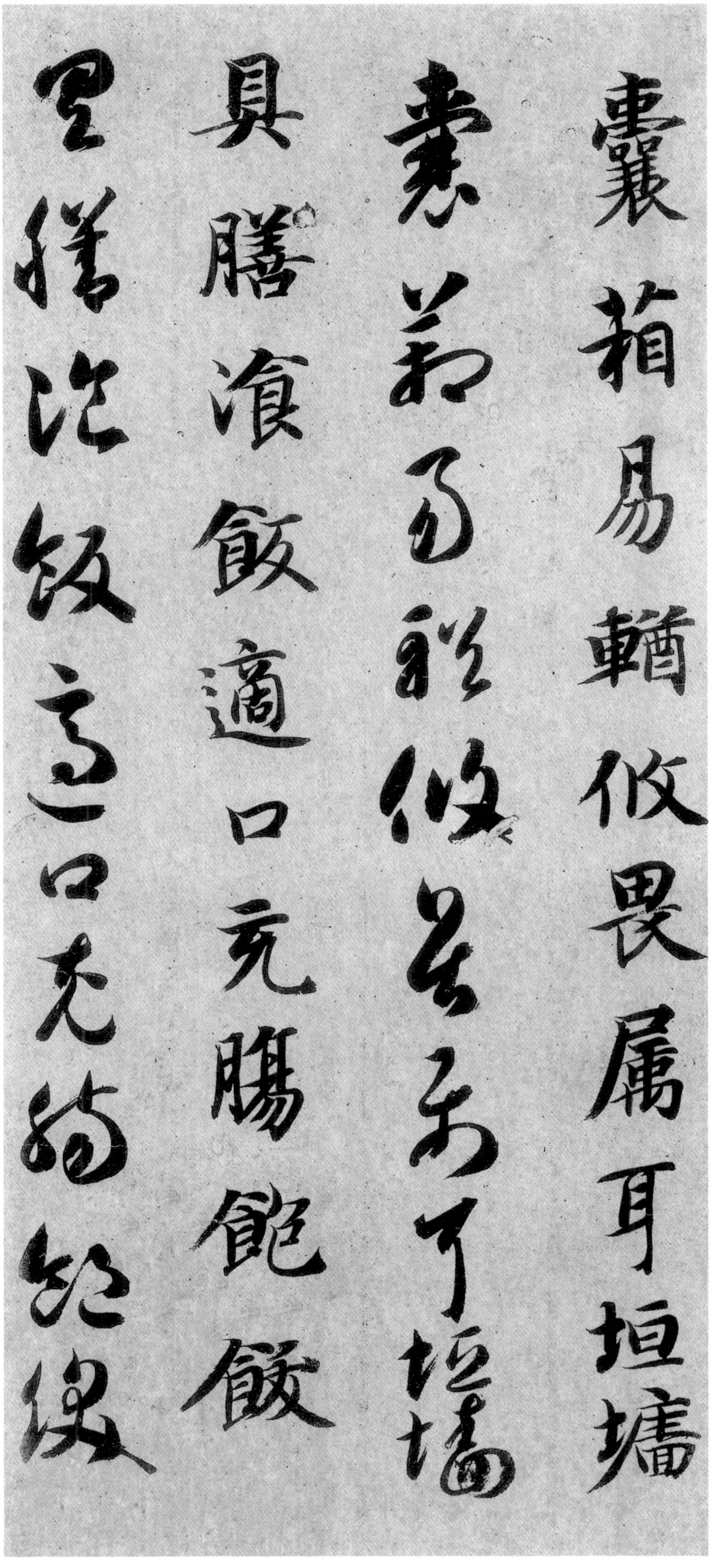

囊箱。易輶攸畏，屬耳垣墻。/具膳餐飯，適口充腸。飽飫/

享：通『烹』。烹宰：宰殺烹煮牲畜。

厭：滿足。

侍巾：服侍主人起居穿戴。

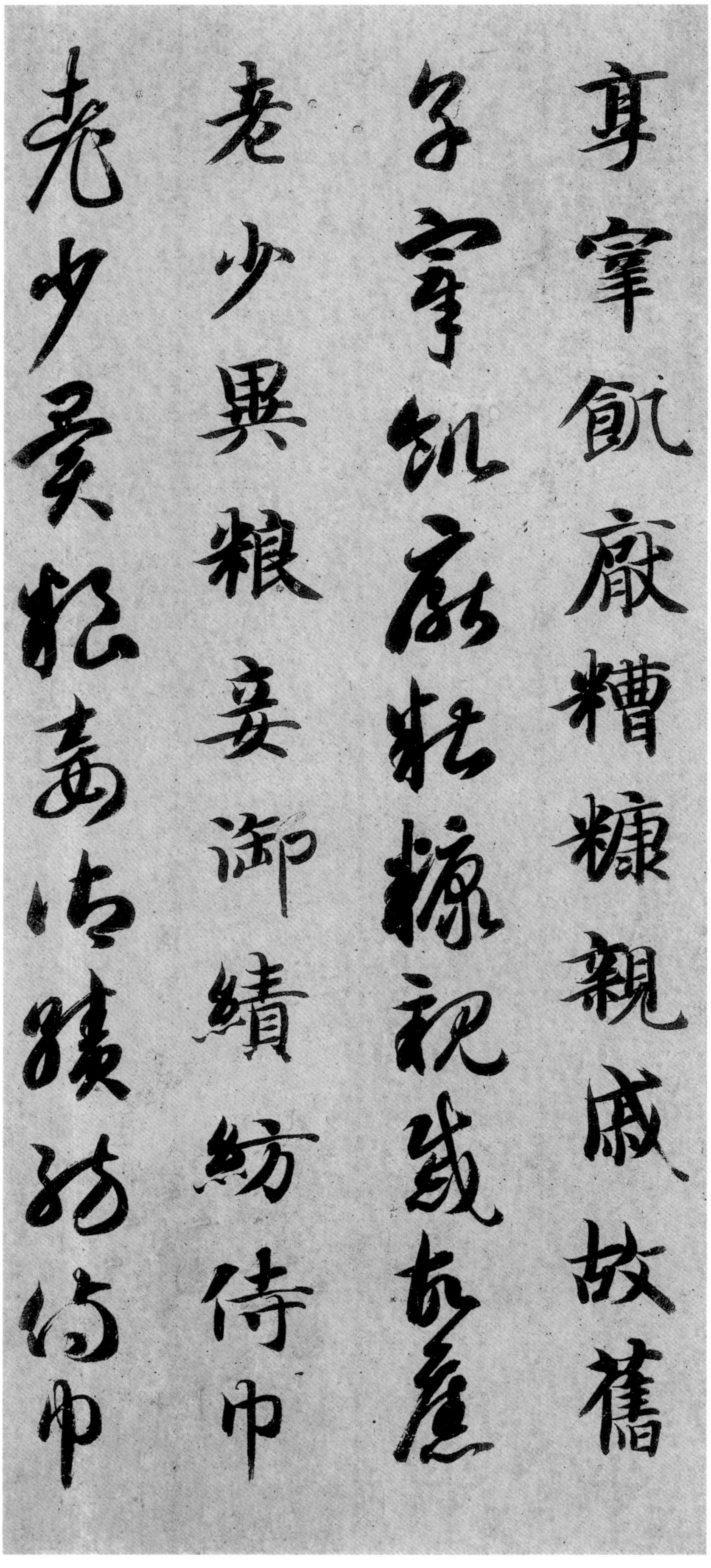

享宰，飢厭糟糠。親戚故舊，／老少異糧。妾御績紡，侍巾／

帷房。纨扇員潔，銀燭瑋煌。／晝眠夕寐，籃笋象床。弦歌／

帷房：内室閨房。

纨扇：絹製的團扇。員潔：同『圓潔』，圓暢雅潔。

瑋煌：同『煒煌』，光焰輝煌。

籃笋：竹床，指便床。象床：以象牙爲裝飾的床。《戰國策·齊策三》：『孟嘗君出行國，至楚，獻象床。』鮑彪注：『象齒爲床。』

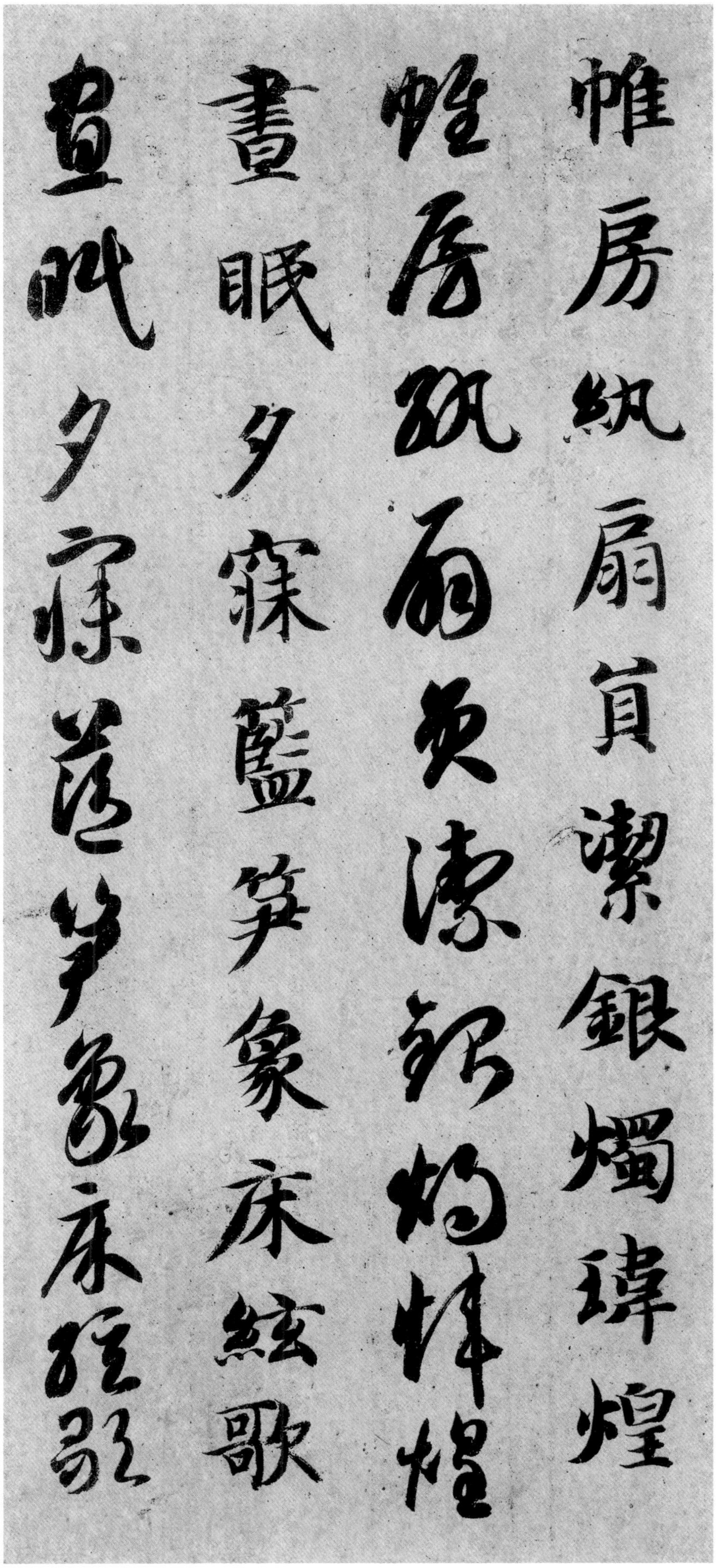

矯手頓足：舉手踏腳。形容高興的樣子。

悅豫：喜悅快樂。

酒讌接杯舉觴矯手頓足
酒讌接杯舉觴矯手頓足
悅豫且康嫡後嗣續祭祀
悅豫且康嫡後嗣續祭祀

酒宴，接杯舉觴。矯手頓足，／悅豫且康。嫡後嗣續，祭祀／

蒸：通『烝』。烝嘗：指祭祀。《禮記·王制》：『天子諸侯宗廟之祭，春曰礿，夏曰禘，秋曰嘗，冬曰烝。』此以『烝嘗』泛指四時祭祀。

稽顙：古代一種跪拜禮，屈膝下拜，以額觸地，表示極度的虔誠。

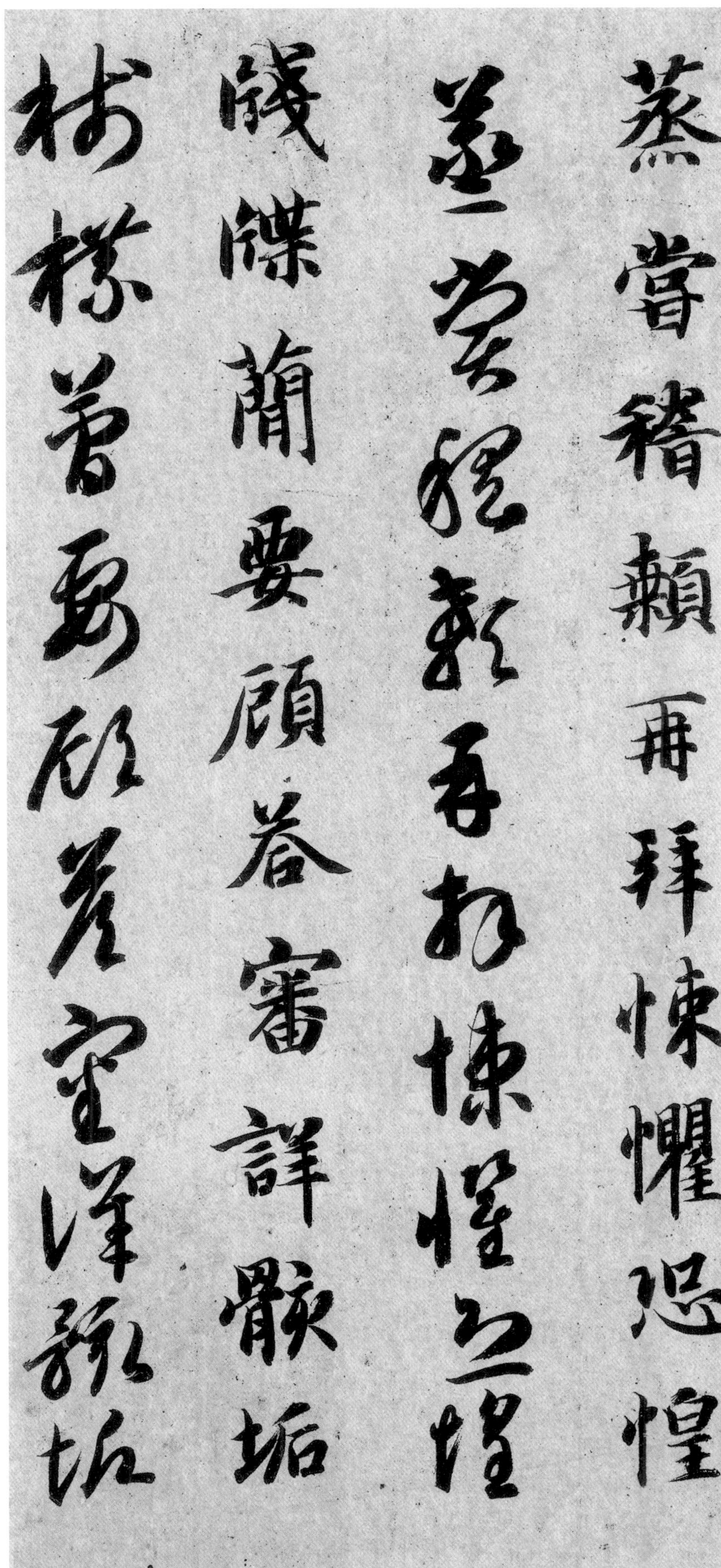

蒸嘗。稽顙再拜，悚懼恐惶。／箋牒簡要，顧答審詳。骸垢／

犢：小畜。特，三四歲的小畜。

超驤：騰躍而前。

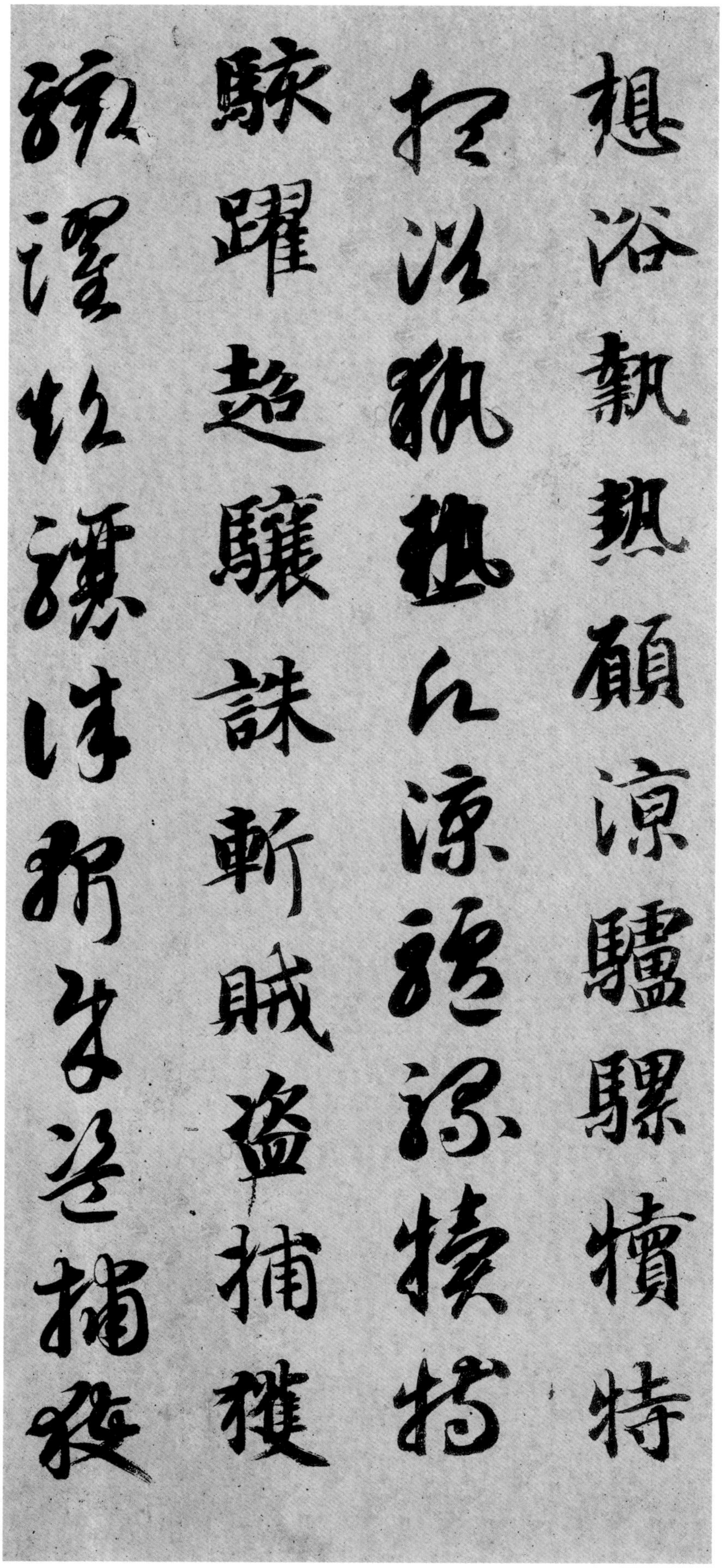
想浴執熱願涼驢騾犢特
駭躍超驤誅斬賊盜捕獲

想浴，執熱願涼。驢騾犢特，／駭躍超驤。誅斬賊盜，捕獲／

叛亡。布射遼丸，嵇琴阮嘯。／恬筆倫紙，鈞巧任釣。釋紛／

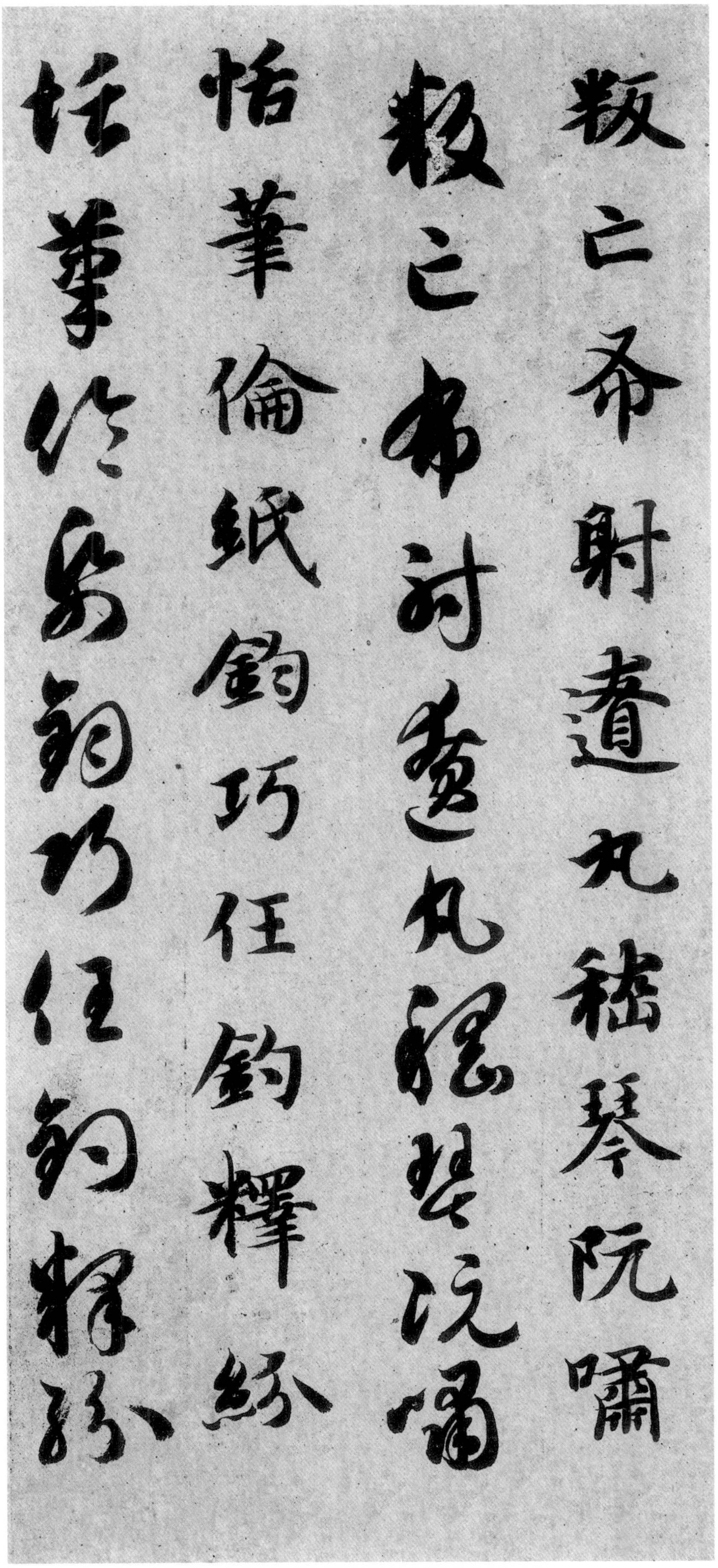

布射遼丸：呂布善射，曾轅門射戟，爲劉備、紀靈調解。遼：通『僚』，指宜僚，春秋楚國之勇士，善於彈丸。《左傳·哀公十六年》載，楚白公勝謀作亂，欲殺子西。因宜僚是勇士，遣使屈之。宜僚終不從命，白公不得宜僚，反事不成，遂使白公、子西兩家之難解。

嵇琴阮嘯：嵇康善撫琴，阮籍善撮口長嘯。

恬筆倫紙：蒙恬製筆，蔡倫造紙。

鈞巧：三國馬鈞有巧思，曾作指南針和龍骨水車等。

任釣：任公子垂釣。古代傳說中的人物。亦稱任公、任父。

釋紛：指呂布、宜僚調節糾紛事。

利俗：指蒙恬、蔡倫等人創造發明，便利民衆。

毛施：毛嬙、西施，古代美女。

嚬：同『顰』，皺眉。研：通『妍』。

羲暉：陽光。古代神話傳說中的太陽神稱羲和。

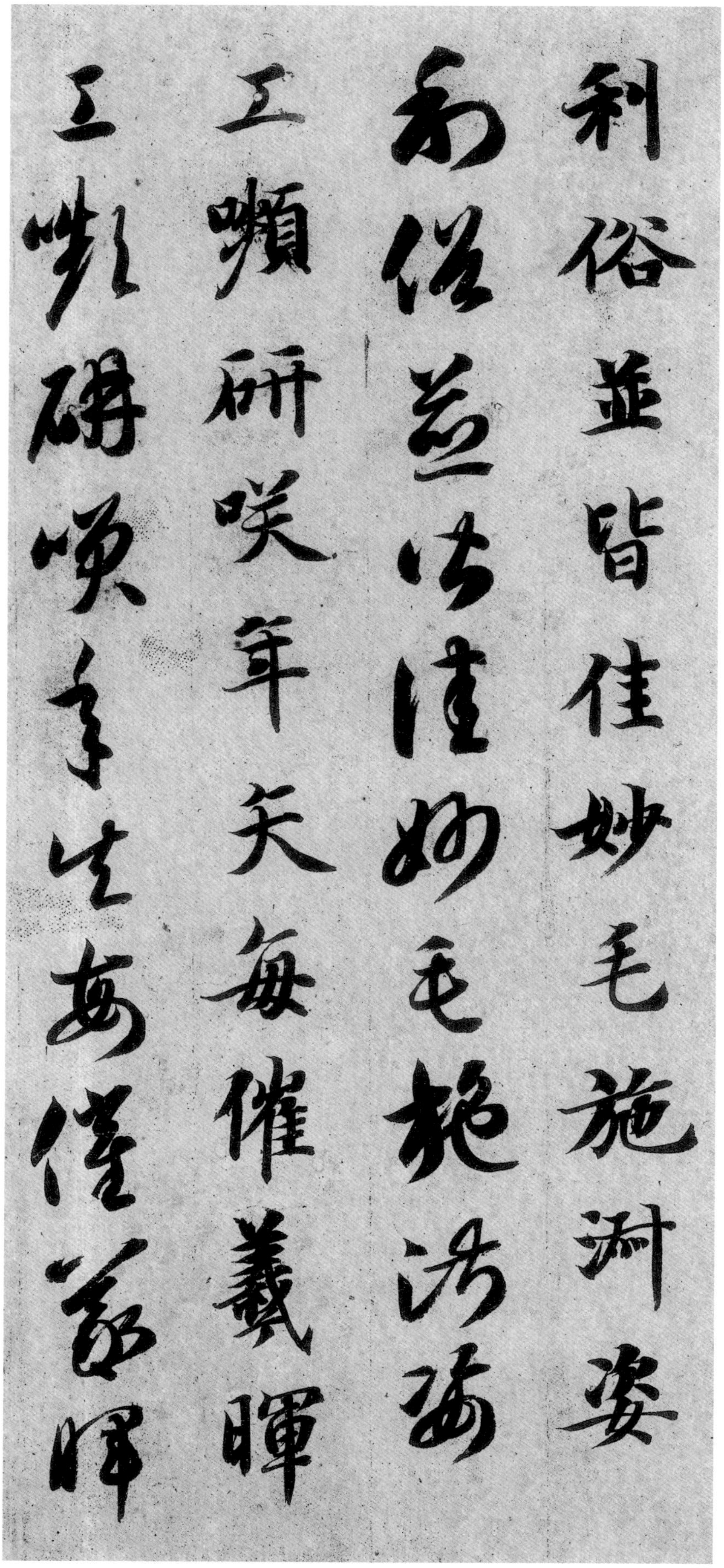

利俗，並皆佳妙。毛施淑姿，╱工嚬研笑。年矢每催，羲暉╱

旋：通『璇』。璇璣：指北斗星。泛指星斗。懸斡：旋轉。

晦魄：夜月。

指薪修祜：典出《莊子·養生主》：『指窮於爲薪，火傳也，不知其盡也。』指：通『脂』。祜：福德、福祿。意思是用木柴燒火，木柴有窮盡的時候，而火種卻不會滅。比喻人的肉體會死亡，而人類的生命是延續無窮的。

永綏吉劭：永遠安寧，吉祥美好。劭：高尚美好。

矩步：端莊的步態。形容舉止合乎規矩，一絲不苟。引領：伸著脖子。

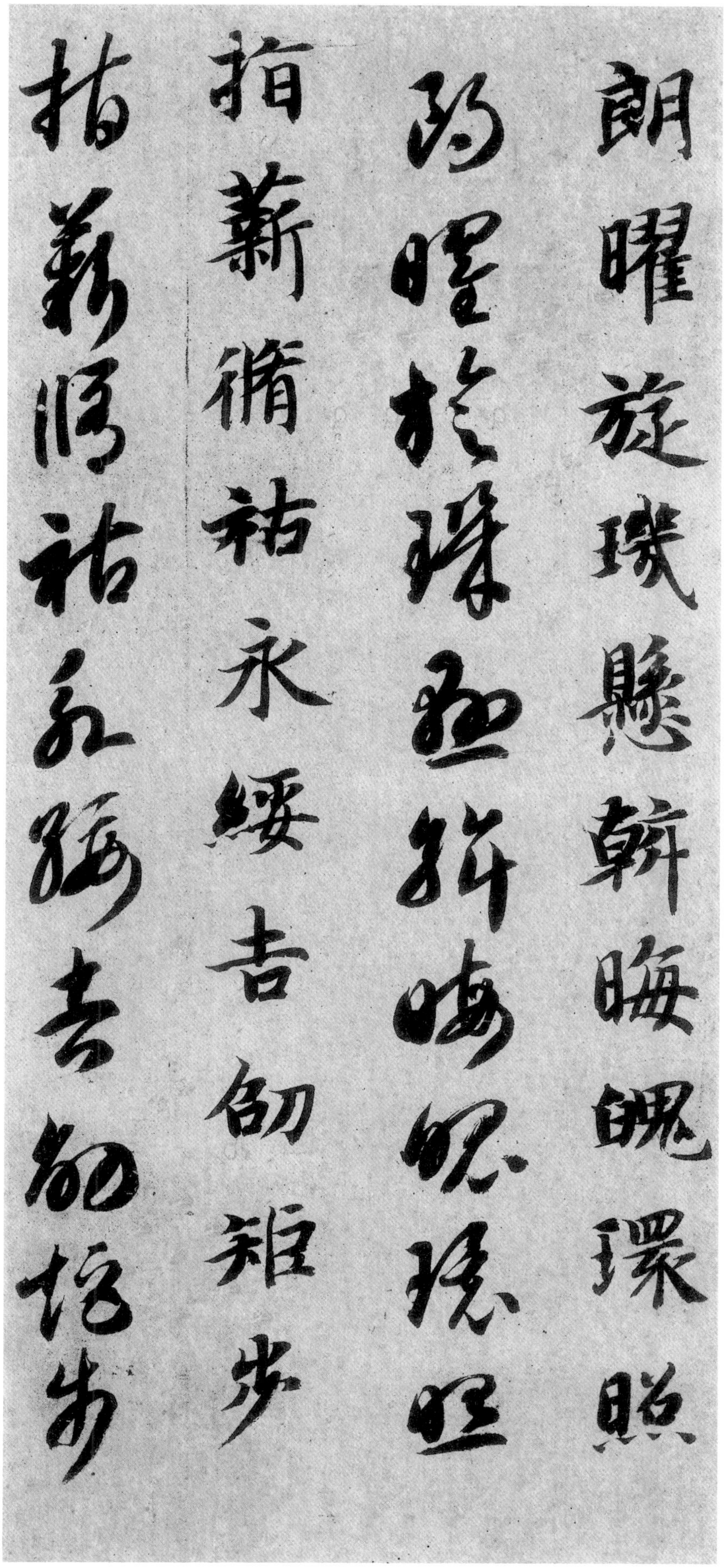

朗曜。璇璣懸斡，晦魄環照。／指薪脩祜，永綏吉劭。矩步／

愚蒙等誚：愚鈍糊塗，讓人譏誚。

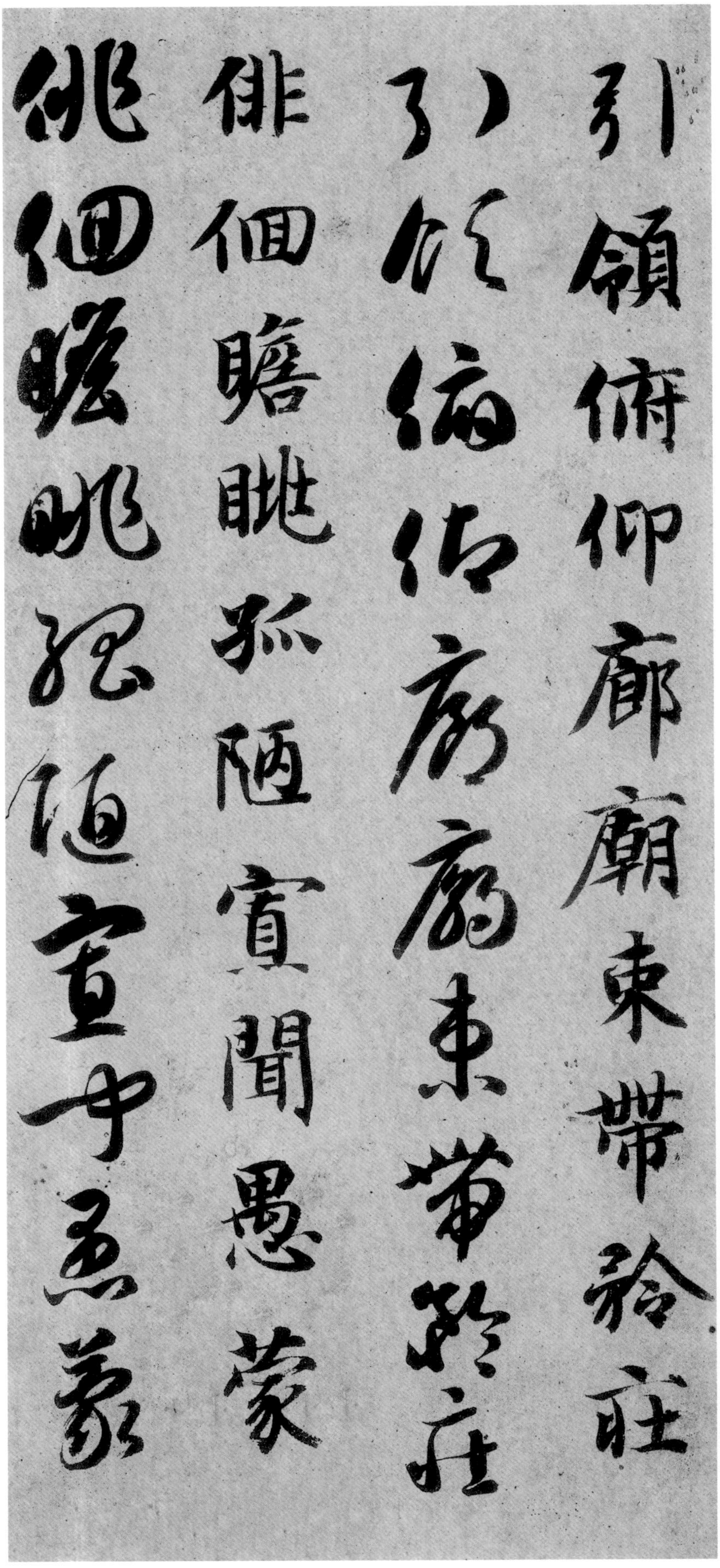

引領，俯仰廊廟。束帶矜莊，╱徘徊瞻眺。孤陋寡聞，愚蒙╱

語助：指語助詞。按，這最後兩句一語雙關，既指『焉哉乎也』四個字是語助詞，同時説自己編寫的這篇《千字文》僅僅只能幫助記憶而已，别無可取之處。『焉哉乎也』，均爲句尾語氣助詞，隱含『罷了！罷了！』之意。

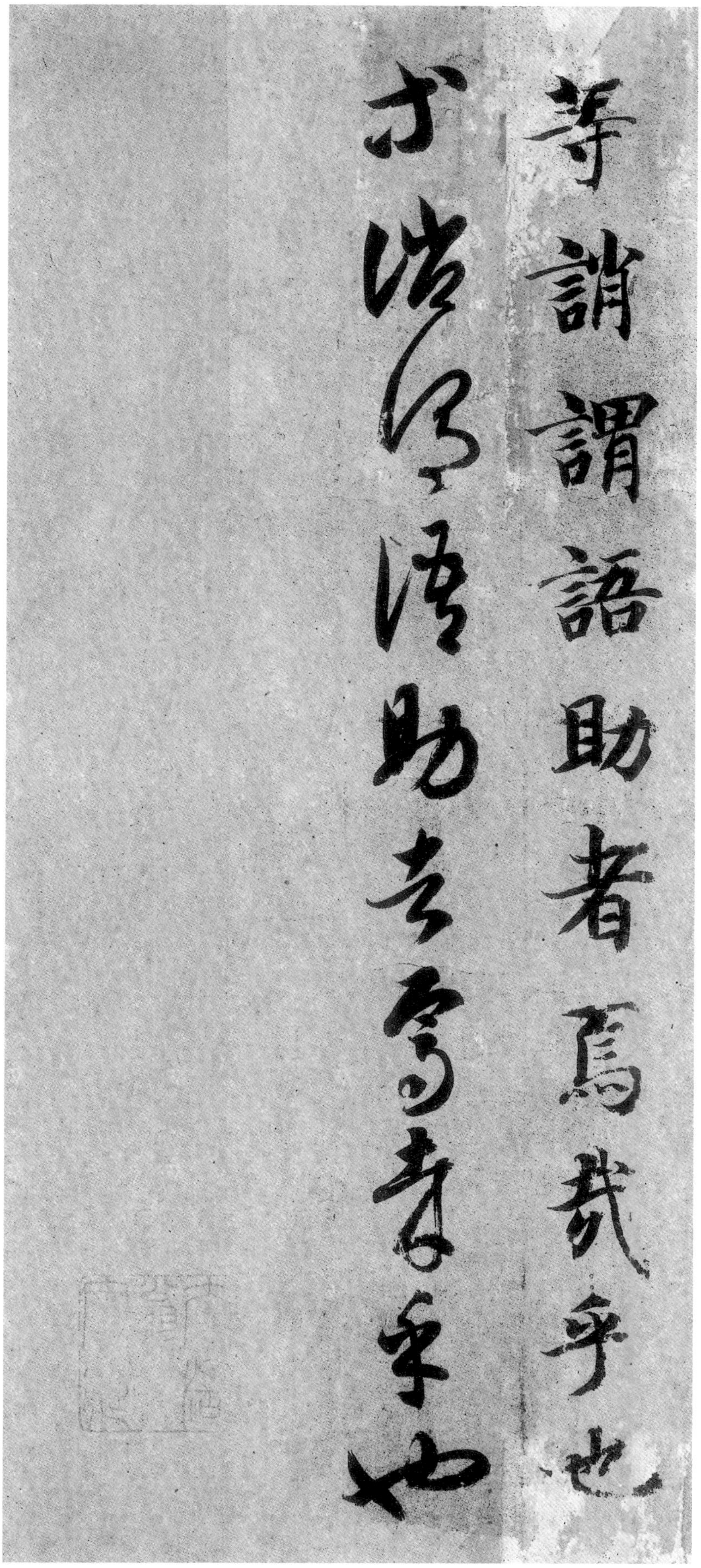

等誚。謂語助者，焉哉乎也。

歷代集評

智永禪師臨《千字文》八百本散與人。永公住永欣寺，積年學書，後有筆頭十甕，皆數萬。人來請書兼請題頭者如市，所居户限爲之穿穴，乃用鐵葉裹之，人謂之『鐵門限』。

——唐 韋絢《劉賓客嘉話録》

智永精熟過人，惜無奇態。

——唐 李嗣真《書後品》

（智永）微尚有道（張芝）之風，半得右軍肉，兼能諸體，於草最優。氣調下於歐虞，精熟過於羊（欣）、薄（紹之）。

——唐 張懷瓘《書斷》

智永妙傳家法，爲隋唐間學書之宗匠。

——樂安薛氏

永禪師書，骨氣深穩，體兼衆妙，精能之至，反造疏淡。如觀陶彭澤（淵明）詩，初若散緩不收，反復不一，乃識奇趣。

——蘇東坡

永禪師欲存王氏典刑，以爲百家法祖，故舉用舊法，非不能出新意求變態也。然其意已逸於繩墨之外矣！

——宋 蘇軾

雖骨氣清健，大小相雜，如十四五貴胄偏性，方循繩墨，忽越規矩。

——宋 蘇軾

智永臨集《千文》，秀潤圓勁，八面俱備……智永硯成臼，乃能到右軍，若穿透，始到鍾索也。

——宋 米芾《海岳名言》

隋釋智永，羲之七世孫也，頗能傳其學，又親受法於子雲，虞世南親見永師，故其法複傳於唐焉。歐陽詢得於世南，褚遂良親師歐陽，或云虞、褚同師史陵，陵，隋人也。歐陽詢傳陸柬之，柬之及見永師，又世南之甥也。陸傳子彦遠，彦遠傳張旭，彦遠，張之舅也。旭又得褚遂良餘論，以授顔真卿、李陽冰、徐浩、韓滉、鄔彤、魏仲犀、韋玩、崔邈等二十餘人。釋懷素聞於鄔彤、柳公權亦得之，其流實出於永師也。

——元 鄭杓《衍極》

智永瑶臺雪鶴，高標出群。

——明 解縉《春雨雜述》

永師下筆欲透紙背者，唐以後此法漸澌盡矣。

——明 董其昌《畫禪室隨筆》

智永《真草千文》真跡，氣韻飛動，優入神品，爲天下法書第一。

智永精熟，學號深矣！

——明 都穆《寓意編》

智永專範右軍，精熟無奇，此學其正而不變者也。

——明 項穆《書法雅言》

圖書在版編目（CIP）數據

智永真草千字文/上海書畫出版社編.——上海：上海書畫出版社，2013.8
（中國碑帖名品）
ISBN 978-7-5479-0664-4
Ⅰ.①智… Ⅱ.①上… Ⅲ.①草書—碑帖—中國—隋代
Ⅳ.①J292.24

中國版本圖書館CIP數據核字（2013）第186904號

中國碑帖名品［四十］

智永真草千字文

本社 編

責任編輯 孫稼阜
釋文注釋 俞 豐
審　　定 沈培方
責任校對 郭曉霞
封面設計 王 峥
整體設計 馮 磊
技術編輯 錢勤毅

出版發行 上海世紀出版集團
上海書畫出版社
地址 上海市闵行区號景路159弄A座4楼 201101
網址 www.shshuhua.com
E-mail shcpph@163.com
印刷 上海界龍藝術印刷有限公司
經銷 各地新華書店
開本 889×1194mm 1/12
印張 5
版次 2013年8月第1版
2023年3月第15次印刷

書號 **ISBN 978-7-5479-0664-4**
定價 **45.00元**
若有印刷、裝訂質量問題，請與承印廠聯繫